John Steinbeck

D[...] et des hommes

Traduit de l'anglais par
Maurice-Edgar Coindreau

Dossier réalisé par
Magali Wiéner-Chevalier

Lecture d'image par
Olivier Tomasini

Agrégée de lettres classiques, **Magali Wiéner-Chevalier** est née en 1973 et enseigne au collège, à Montpellier. Passionnée par l'écriture sous toutes ses formes, elle s'intéresse de près au théâtre. Chez Gallimard, elle a publié une lecture accompagnée d'*Escadrille 80* de Roald Dahl (collection « La bibliothèque Gallimard »).

Architecte et licencié de philosophie, **Olivier Tomasini** est responsable de la communication au musée de Grenoble et président de l'association « La maison de la photographie de Grenoble et de l'Isère ». À Grenoble, il a été commissaire de plusieurs expositions de photographies (« William Klein, Figures parfaites, la Nouvelle Vision en France de 1925 à 1945 », « Vues d'architectures, photographies des XIXe et XXe siècles »).

Couverture : Dorothea Lange, *Dos*. Dorothea Lange Collection, Oakland Museum (USA).

Sommaire

Des souris
et des hommes

I

À quelques milles au sud de Soledad, la Salinas descend tout contre le flanc de la colline et coule, profonde et verte. L'eau est tiède aussi, car, avant d'aller dormir en un bassin étroit, elle a glissé, miroitante au soleil, sur les sables jaunes. D'un côté de la rivière, les versants dorés de la colline montent en s'incurvant jusqu'aux masses rocheuses des monts Gabilan, mais, du côté de la vallée, l'eau est bordée d'arbres : des saules, d'un vert jeune quand arrive le printemps, et dont les feuilles inférieures retiennent à leurs intersections les débris déposés par les crues de l'hiver ; des sycomores aussi, dont le feuillage et les branches marbrées s'allongent et forment voûte au-dessus de l'eau dormante. Sur la rive sablonneuse, les feuilles forment, sous les arbres, un tapis épais et si sec que la fuite d'un lézard y éveille un long crépitement. Le soir, les lapins, quittant les fourrés, viennent s'asseoir sur le sable, et les endroits humides portent les traces nocturnes des ratons laveurs, les grosses pattes des chiens des ranches, et les sabots fourchus des cerfs qui viennent boire dans l'obscurité.

Il y a un sentier à travers les saules et parmi les sycomores, un sentier battu par les enfants qui descendent des ranches pour se baigner dans l'eau profonde, battu par les vagabonds qui, le soir, descendent de la grand-route, fatigués, pour camper sur le bord de l'eau. Devant la branche horizontale et basse d'un sycomore géant, un tas de cendre atteste les nombreux feux de bivouac ; et la branche est usée et polie par tous les hommes qui s'y sont assis.

Au soir d'un jour très chaud, une brise légère commençait à frémir dans les feuilles. L'ombre montait vers le haut des collines. Sur les rives sablonneuses, les lapins s'étaient assis, immobiles, comme de petites pierres grises, sculptées. Et puis, du côté de la grand-route, un bruit de pas se fit entendre, parmi les feuilles sèches des sycomores. Furtivement, les lapins s'enfuirent vers leur gîte. Un héron guindé s'éleva lourdement et survola la rivière de son vol pesant. Toute vie cessa pendant un instant, puis deux hommes débouchèrent du sentier et s'avancèrent dans la clairière, au bord de l'eau verte.

Ils avaient descendu le sentier à la file indienne, et, même en terrain découvert, ils restaient l'un derrière l'autre. Ils étaient vêtus tous les deux de pantalons et de vestes en serge de coton bleue à boutons de cuivre. Tous deux étaient coiffés de chapeaux noirs informes, et tous deux portaient sur l'épaule un rouleau serré de couvertures. L'homme qui marchait en tête était petit et vif, brun de visage, avec des yeux inquiets et perçants, des traits marqués. Tout en lui était défini : des mains petites et fortes, des bras minces, un nez fin et osseux. Il était suivi par son contraire, un homme énorme, à visage informe, avec de grands yeux pâles et de larges épaules tombantes. Il marchait lourdement, en traînant un peu les pieds comme un ours traîne les pattes. Ses bras, sans osciller, pendaient ballants à ses côtés.

Le premier homme s'arrêta net dans la clairière, et son compagnon manqua de lui tomber dessus. Il enleva son chapeau et en essuya le cuir avec l'index qu'il fit claquer pour en faire égoutter la sueur. Son camarade laissa tomber ses couvertures et, se jetant à plat ventre, se mit à boire à la surface de l'eau verte. Il buvait à grands coups, en renâclant dans l'eau comme un cheval. Le petit homme s'approcha de lui nerveusement.

— Lennie, dit-il sèchement, Lennie, nom de Dieu, ne bois pas tant que ça.

Lennie continuait à renâcler dans l'eau dormante. Le petit homme se pencha et le secoua par l'épaule.

— Lennie, tu vas te rendre malade comme la nuit dernière.

Lennie plongea toute la tête sous l'eau, y compris le chapeau, puis il s'assit sur la rive, et son chapeau s'égoutta sur sa veste bleue et lui dégoulina dans le dos.

— C'est bon, dit-il. Bois-en un peu, George. Bois-en une bonne lampée.

Il souriait d'un air heureux.

George détacha son ballot et le posa doucement par terre.

— J'suis point sûr que cette eau soit bonne, dit-il. Elle m'a l'air d'avoir de l'écume.

Lennie trempa sa grosse patte dans l'eau et, agitant les doigts, la fit légèrement éclabousser. Des cercles s'élargirent jusque sur l'autre rive et revinrent vers leur point de départ. Lennie les observait.

— Regarde, George, regarde ce que j'ai fait.

George s'agenouilla sur le bord de l'eau et but dans sa main, à petits coups rapides.

— Au goût, elle a l'air bonne, admit-il. Pourtant, elle n'a pas l'air courante. Tu devrais jamais boire d'eau qu'est pas courante, Lennie, dit-il d'un ton découragé. Tu boirais dans un égout si t'avais soif.

Il se jeta de l'eau à la figure, et se débarbouilla, avec la main, sous le menton et autour de la nuque. Puis il remit son chapeau, s'éloigna un peu du bord de l'eau, releva les genoux qu'il entoura de ses deux bras. Lennie, qui l'avait observé, imita George en tout point. Il se recula, remonta les genoux, les prit dans ses mains et regarda George pour voir s'il avait bien tout fait comme il fallait. Il rabattit un peu plus son chapeau sur ses yeux, afin qu'il fût exactement comme le chapeau de George.

George, mélancoliquement, regardait l'eau. Le soleil lui avait rougi le bord des yeux. Il dit, furieux :

— Nous aurions pu tout aussi bien rouler jusqu'au ranch, si ce salaud de conducteur avait su ce qu'il disait. « Vous avez plus qu'un petit bout de chemin à faire sur la grand-route, qu'il disait, plus qu'un petit bout de chemin. » Bon Dieu, près de quatre milles, c'est ça qu'il y avait. Seulement, la vérité, c'est qu'il n'voulait pas s'arrêter à la grille du ranch. Bien trop feignant pour ça. J'me demande s'il n'croit pas au-dessous de lui de s'arrêter à Soledad. Il nous fout dehors, et puis il dit : Plus qu'un petit bout de chemin sur la grand-route ! J'parie qu'il y avait plus de quatre milles. Il fait bougrement chaud.

Lennie le regardait timidement.

— George ?

— Oui, qué que tu veux ?

— Où c'est-il qu'on va, George ?

D'une secousse le petit homme rabattit le bord de son chapeau et jeta sur Lennie un regard menaçant.

— Alors, t'as déjà oublié ça, hein ? Il va falloir encore que je te le redise ? Nom de Dieu, ce que tu peux être con tout de même !

— J'ai oublié, dit Lennie doucement. J'ai essayé d'pas oublier. Vrai de vrai, j'ai essayé, George.

— C'est bon, c'est bon. J'vais te l'redire : J'ai rien à faire. Autant passer mon temps à te dire les choses, et puis tu les oublies, et puis faut que je te les redise.

— J'ai essayé et essayé, dit Lennie, seulement ça a servi de rien. J'me rappelle les lapins, George.

— Fous-moi la paix avec tes lapins. Y a que ça que tu peux te rappeler, les lapins. Allons ! Maintenant, écoute, et, cette fois, tâche de te rappeler pour qu'on ait pas des embêtements. Tu te rappelles quand t'étais assis sur le bord du trottoir, dans Howard Street, et que tu regardais ce tableau noir ?

Un sourire ravi éclaira le visage de Lennie.

— Pour sûr, George, que j'me rappelle ça... mais... qu'est-ce qu'on a fait après ? J'me rappelle qu'il y a des femmes qu'ont passé et que t'as dit... t'as dit...

— T'occupe pas de ce que j'ai dit. Tu te rappelles que nous sommes allés chez Murray and Ready, et qu'on nous y a donné des cartes de travail et des billets d'autobus ?

— Oui, bien sûr, George, je m'rappelle ça, maintenant.

Ses mains disparurent brusquement dans les poches de côté de sa veste.

Il dit doucement :

— George... J'ai pas la mienne. J'dois l'avoir perdue.

Désespéré, il regardait par terre.

— Tu l'as jamais eue, bougre de couillon. Je les ai toutes les deux ici. Tu te figures que j'te laisserais porter ta carte de travail ?

Lennie fit une grimace de soulagement.

— Je... je croyais que j'l'avais mise dans ma poche.

Sa main disparut de nouveau dans sa poche.

George lui jeta un regard aigu.

— Qu'est-ce que tu viens de tirer de cette poche ?

— Y a rien dans ma poche, dit Lennie, avec astuce.

— Je l'sais bien. Tu l'as dans ta main. Qu'est-ce que t'as dans la main, que tu caches ?

— J'ai rien, George. Bien vrai.

— Allons, donne-moi ça.

Lennie tenait sa main fermée aussi loin que possible de George.

— C'est rien qu'une souris, George.

— Une souris ? Une souris vivante ?

— Euh... Rien qu'une souris morte, George. J'l'ai pas tuée. Vrai ! J'l'ai trouvée. J'l'ai trouvée morte.

— Donne-la-moi ! dit George.

— Oh ! laisse-la-moi, George.

— *Donne-la-moi !*

La main fermée de Lennie obéit lentement. George prit la souris et la lança de l'autre côté de la rivière, dans les broussailles.

— Qu'est-ce que tu peux bien faire d'une souris morte ?

— J'pouvais la caresser avec mon pouce pendant qu'on marchait, dit Lennie.

— Ben, tu te dispenseras de caresser des souris quand tu marches avec moi. Tu te rappelles où on va maintenant ?

Lennie eut l'air étonné, puis confus ; il se cacha la figure sur les genoux.

— J'ai encore oublié.

— Nom de Dieu ! dit George avec résignation. Eh bien, écoute, nous allons travailler dans un ranch comme celui d'où nous venons, dans le Nord.

— Dans le Nord ?

— À Weed.

— Oh ! oui. Je m'rappelle. À Weed.

— Ce ranch où nous allons est là, tout près, à environ un quart de mille. On va entrer voir le patron. Maintenant, écoute... Je lui donnerai nos cartes de travail, mais tu ne diras pas un mot. Tu resteras là sans rien dire. S'il s'aperçoit combien que t'es idiot, il nous embauchera pas, mais s'il te voit travailler avant de t'entendre parler, ça ira. T'as compris ?

— Pour sûr, George, pour sûr, que j'ai compris.

— C'est bon. Alors, quand on ira trouver le patron, qu'est-ce que tu feras ?

— Je... je... — Lennie réfléchissait. Son visage se tendait sous l'effort de la pensée. — Je... j'dirai rien. J'resterai là, comme ça.

— Bravo. C'est très bien. Répète ça deux ou trois fois pour être sûr de pas l'oublier.

Lennie murmura en lui-même doucement :

— J'dirai rien... J'dirai rien... J'dirai rien.

— Bon, dit George. Et puis, tu tâcheras aussi d'pas faire des vilaines choses comme t'as fait à Weed.

Lennie avait l'air étonné :

— Comme j'ai fait à Weed ?

— Oh ! t'as donc oublié ça aussi, hein ? Ben, j'te le rappellerai pas, de peur que tu le fasses encore.

Une lueur d'intelligence apparut sur le visage de Lennie.

— On nous a chassés de Weed, dit-il dans une explosion de triomphe.

— On nous a chassés, j't'en fous, dit George avec dégoût. C'est nous qui nous sommes sauvés. On nous a cherchés, mais on ne nous a pas trouvés.

Lennie ricana joyeusement.

— Ça, j'l'ai pas oublié, j't'assure.

George s'allongea sur le sable et mit ses mains sous sa tête, et Lennie l'imita, levant la tête pour voir s'il faisait bien les choses comme il fallait.

— Bon Dieu, tu peux dire que t'es dérangeant, dit George. Si j't'avais pas à mes trousses, j'pourrais me débrouiller si bien, et si facilement. J'pourrais avoir une vie si facile, et avoir une femme, peut-être bien.

Lennie resta un moment étendu, tranquille ; puis, il dit, plein d'espoir :

— On va travailler dans un ranch, George.

— Très bien. T'as compris ça. Mais nous allons dormir ici, parce que j'ai mes raisons.

Le jour tombait vite maintenant. Seul, le sommet des monts Gabilan flambait encore aux rayons du soleil qui avait quitté la vallée. Un serpent ondula dans l'eau, la tête dressée comme un petit périscope. Les roseaux s'agitaient faiblement au fil du courant. Au loin, vers la grand-route, un homme cria quelque chose, et un autre homme lui répondit. Les branches des sycomores frémirent sous une brise légère qui s'éteignit immédiatement.

— George, pourquoi qu'on n'va pas au ranch pour chercher à souper ? On donne à souper dans le ranch.

George roula sur le côté.

— Pas la moindre raison pour toi. Moi je m'plais ici. Demain, on ira travailler. J'ai vu des machines à battre en venant. Ce qui prouve qu'il faudra charrier des sacs de grains, se faire péter les boyaux. Cette nuit, j'vais rester ici même, couché sur le dos. J'aime ça.

Lennie se mit à genoux et regarda George.

— Alors, on n'va pas manger ?

— Si, bien sûr, si tu vas m'chercher du bois mort. J'ai trois boîtes de haricots dans mon ballot. Prépare le feu. J'te donnerai une allumette quand t'auras amassé le bois. Ensuite, on fera cuire les haricots et on dînera.

Lennie dit :

— Les haricots, j'les aime avec du coulis de tomates.

— Oui, ben on n'en a pas de coulis de tomates. Va chercher du bois. Et puis, ne va pas vadrouiller. Il va faire noir dans pas longtemps.

Lennie se remit debout lourdement et disparut dans les fourrés. George resta étendu où il était et sifflota doucement en lui-même. Dans la direction que Lennie avait prise des bruits d'éclaboussement sortirent de la rivière. George s'arrêta de siffler et écouta.

— Pauvre bougre, dit-il doucement, et il se remit à siffler.

Bientôt Lennie revint à travers les broussailles. Il ne portait qu'un petit morceau de saule dans la main. George se mit sur son séant.

— Ça va, dit-il brusquement, donne-moi cette souris !

Lennie se livra à une pantomime d'innocence compliquée.

— Quelle souris, George ? J'ai pas d'souris.

George tendit la main.

— Allons, donne-la-moi. Faut pas me la faire.

Lennie hésita, recula, jeta un regard éperdu vers la ligne des fourrés, comme s'il songeait à recouvrer sa liberté en s'enfuyant. George lui dit froidement :

— Tu vas me donner cette souris, ou bien c'est-il que tu veux mon poing sur la gueule ?

— Te donner quoi, George ?

— Tu le sais foutre bien. Je veux cette souris.

À contrecœur, Lennie chercha dans sa poche. Sa voix chevrota légèrement.

— J'sais pas pourquoi j'peux pas la garder. Elle n'est à personne, cette souris. J'l'ai pas volée. J'l'ai trouvée morte sur le bord de la route.

La main de George restait impérieusement tendue. Lentement, comme un terrier qui ne veut pas rapporter la balle à son maître, Lennie s'approcha, recula, s'approcha encore. George fit claquer sèchement ses doigts, et à ce bruit, Lennie lui mit la souris dans la main.

— J'faisais rien de mal avec elle, George. J'faisais rien que la caresser.

George se leva et jeta la souris aussi loin qu'il put dans l'ombre des fourrés, puis il s'approcha de l'eau et se lava les mains.

— Bougre d'idiot. Tu pensais que j'verrais pas que t'avais

les pieds mouillés, là où que t'as traversé la rivière pour aller la chercher ?

Il entendit Lennie pleurnicher et il se retourna vivement.

— V'là que tu brailles comme un bébé ! Nom de Dieu ! Un grand gars comme toi !

La lèvre de Lennie tremblotait, et il avait les yeux pleins de larmes.

— Oh ! Lennie !

George posa la main sur l'épaule de Lennie.

— Je l'ai pas prise pour être méchant. Cette souris est pas fraîche, Lennie, et en plus, tu l'as toute abîmée à force de la caresser. T'as qu'à trouver une autre souris, une fraîche, et j'te permettrai de la garder un petit peu.

Lennie s'assit par terre et baissa la tête tristement.

— J'sais pas où il y en a, des souris. J'me rappelle une dame qui m'en donnait... toutes celles qu'elle attrapait. Mais cette dame n'est pas là.

George se moqua.

— Une dame, hein ? Tu te rappelles même pas qui c'était, cette dame. C'était ta propre tante Clara. Et elle a cessé de te les donner. Tu les tuais toujours.

Lennie le regarda tristement.

— Elles étaient si petites, dit-il pour s'excuser. J'les caressais, et puis bientôt, elles me mordaient les doigts, alors, je leur pressais un peu la tête, et puis elles étaient mortes... parce qu'elles étaient si petites. George, j'voudrais bien qu'on les ait bientôt, les lapins. Ils n'sont pas si petits.

— Fous-moi la paix avec tes lapins. On n'peut même pas te confier des souris vivantes. Ta tante Clara t'a donné une souris en caoutchouc, mais t'en as jamais fait de cas.

— Elle était pas agréable à caresser, dit Lennie.

Les feux du crépuscule s'élevaient au-dessus du sommet des montagnes, et l'obscurité tombait dans la vallée. Sous les saules et les sycomores, les ténèbres étaient presque complètes. Une grosse carpe monta à la surface de l'eau, prit une gorgée d'air, puis se renfonça mystérieusement dans l'eau noire, laissant des cercles s'élargir sur l'eau. Au-dessus d'eux, les feuilles recommencèrent à frémir, et des houppettes de graines de saules s'envolèrent et allèrent se poser à la surface de l'eau.

— Et ce bois, tu vas aller le chercher ? demanda George. Y en a toute une pile derrière ce sycomore. Des débris d'inondation. Va le chercher.

Lennie passa derrière l'arbre et rapporta une brassée de rameaux et de feuilles mortes. Il les jeta en tas sur le monceau de vieilles cendres et il retourna en chercher davantage. La nuit était presque venue. Des ailes de tourterelle sifflèrent au-dessus de l'eau. George s'approcha du tas de bois et alluma les feuilles sèches. La flamme crépita parmi les brindilles et s'étendit. George défit son ballot et en sortit trois boîtes de haricots en conserve. Il les mit debout autour du feu, tout près de la braise, mais sans toutefois qu'elles touchassent la flamme.

— Y a des haricots pour quatre hommes là-dedans, dit George.

De l'autre côté du feu, Lennie l'observait. Il dit patiemment.

— Moi j'les aime avec du coulis de tomates.

— Eh bien, on n'en a pas, dit George avec colère. T'as toujours envie de ce qu'on n'a pas. Bon Dieu, si j'étais seul, ce que la vie serait facile ! J'pourrais me trouver un emploi et travailler. J'aurais pas d'embêtements. Pas la moindre difficulté, et, à la fin du mois, j'pourrais prendre mes cinquante dollars, et m'en aller faire ce que je voudrais en ville. Même, que j'pourrais passer toute la nuit au claque. J'pourrais manger où je voudrais, à l'hôtel ou ailleurs, et commander tout ce qui me viendrait à l'idée. Et je pourrais faire ça tous les mois. M'acheter un gallon de whiskey, ou ben aller dans un café jouer aux cartes ou faire un billard.

Lennie s'agenouilla et, par-dessus le feu, observa la colère de George. Et la terreur lui crispait le visage.

— Et qu'est-ce que j'ai ? continua George furieusement. J'ai toi ! Tu n'peux pas garder un métier, et tu me fais perdre toutes les places que je trouve. Tu passes ton temps à me faire balader d'un bout du pays à l'autre. Et c'est pas encore ça le pire. Tu t'attires des histoires. Tu fais des conneries, et puis il faut que je te tire d'affaire.

Sa voix s'élevait, était presque un cri.

— Bougre de loufoque ! Avec toi, j'sors pas du pétrin.

Il se mit alors à parler comme font les petites filles quand elles s'imitent les unes les autres.

— J'voulais rien que lui toucher sa robe à cette fille... j'voulais rien que la caresser comme si c'était une souris... Comment foutre voulais-tu qu'elle sache que tu voulais rien que lui toucher sa robe ? Elle fait un bond en arrière, et tu te cramponnes à elle comme si c'était une souris. Elle gueule, et puis il faut que nous restions cachés toute la journée dans un fossé d'irrigation avec un tas de types à nos trousses. Et puis après, il a fallu se faufiler dans le noir et quitter le pays. Et tout le temps quelque chose comme ça... tout le temps. Si seulement j'pouvais te foutre dans une cage avec un million de souris et te laisser t'amuser à ton aise.

Sa colère tomba brusquement. Par-dessus le feu, il regarda la figure angoissée de Lennie, puis, honteux, il baissa les yeux vers les flammes.

Il faisait assez noir maintenant, mais le feu éclairait les troncs des arbres et les branches qui formaient voûte au-dessus d'eux. Lennie rampa lentement et prudemment autour du feu jusqu'à ce qu'il fût tout près de George. Il s'accroupit sur ses talons. George tourna les boîtes de conserve afin de présenter l'autre côté au feu. Il affectait de ne pas s'apercevoir que Lennie était si près de lui.

— George ! très doucement.

Pas de réponse.

— George !

— Qu'est-ce que tu veux ?

— C'était pour rire, George. J'en veux pas de coulis de tomates. J'mangerais pas d'coulis de tomates même si j'en avais ici, à côté de moi.

— Si y en avait ici, tu pourrais en avoir.

— Mais j'en mangerais pas, George. Je le laisserais tout pour toi. Tu pourrais en couvrir tous tes haricots. Moi, j'y toucherais point.

Toujours maussade, George regardait le feu.

— Quand je pense ce que je pourrais rigoler si j't'avais pas avec moi, ça me rend fou. J'ai pas une minute de paix.

Lennie était toujours accroupi. Il regardait dans les ténèbres, par-delà la rivière.

— George, tu veux que je m'en aille et que je te laisse seul ?

— Où donc que tu pourrais aller ?

— Oh ! j'pourrais. J'pourrais m'en aller dans les collines, là-bas. J'trouverais bien une caverne quelque part.

— Oui ? Et comment qu'tu mangerais ? T'es même pas assez malin pour te trouver à manger.

— J'trouverais des choses, George. J'ai pas besoin d'choses fines avec du coulis de tomates. Je m'coucherais au soleil et personne ne m'ferait de mal. Et si j'trouvais une souris. J'pourrais la garder. Personne ne viendrait me la prendre.

George lui lança un regard rapide et curieux.

— J'ai été méchant, c'est ça ?

— Si tu n'veux plus de moi, je peux m'en aller dans les

collines me chercher une caverne. J'peux m'en aller n'importe quand.

— Non... écoute ! C'était de la blague, Lennie. Parce que j'veux que tu restes avec moi. L'embêtant, avec les souris, c'est que tu les tues toujours.

Il s'arrêta.

— J'vais te dire ce que je ferai, Lennie. À la première occasion, j'te donnerai un p'tit chien. Ça, tu le tueras peut-être pas. Ça vaudra mieux que les souris. Et tu pourras le caresser plus fort.

Lennie évita l'hameçon. Il avait senti qu'il avait l'avantage.

— Si tu m'veux plus, t'as qu'à le dire, et j'm'en irai dans les collines, là-bas... tout là-haut dans ces collines, et j'vivrai seul. Et on m'volera plus mes souris.

George dit :

— J'veux que tu restes avec moi, Lennie. Nom de Dieu, on te prendrait pour un coyote et on te tuerait si t'étais seul. Non, faut rester avec moi. Ta tante Clara aimerait pas te savoir à courir tout seul comme ça, quand même qu'elle est morte.

Lennie dit avec astuce :

— Raconte-moi... comme t'as fait d'autres fois.

— Te raconter quoi ?

— Les lapins.

George trancha.

— Faut pas essayer de me faire marcher.

Lennie supplia :

— Allons, George, raconte-moi. Je t'en prie, George. Comme t'as fait d'autres fois.

— Ça te plaît donc bien ? C'est bon, j'vais te raconter, et puis après, on dînera.

La voix de George se fit plus grave. Il répétait ses mots sur un certain rythme, comme s'il avait déjà dit cela plusieurs fois.

— Les types comme nous, qui travaillent dans les ranches, y a pas plus seul au monde. Ils ont pas de famille. Ils ont pas de chez-soi. Ils vont dans un ranch, ils y font un peu d'argent, et puis ils vont en ville et ils le dépensent tout... et pas plus tôt fini, les v'là à s'échiner dans un autre ranch. Ils ont pas de futur devant eux.

Lennie était ravi.

— C'est ça... c'est ça. Maintenant, raconte comment c'est pour nous.

George continua :

— Pour nous, c'est pas comme ça. Nous, on a un futur. On a quelqu'un à qui parler, qui s'intéresse à nous. On a pas besoin de s'asseoir dans un bar pour dépenser son pèze, parce qu'on n'a pas d'autre endroit où aller. Si les autres types vont en prison, ils peuvent bien y crever, tout le monde s'en fout. Mais pas nous.

Lennie intervint.

— *Mais pas nous ! Et pourquoi ? Parce que... parce que moi, j'ai toi pour t'occuper de moi, et toi, t'as moi pour m'occuper de toi, et c'est pour ça.*

Il éclata d'un rire heureux.

— Continue maintenant, George !

— Tu l'sais par cœur. Tu peux le faire toi-même.

— Non, toi. Y a toujours des choses que j'oublie. Dis-moi comment que ça sera.

— Ben voilà. Un jour, on réunira tout not' pèze, et on aura une petite maison et un ou deux hectares et une vache et des cochons et...

— *On vivra comme des rentiers*, hurla Lennie. Et on aura des *lapins*. Continue, George. Dis-moi ce qu'on aura dans le jardin, et les lapins dans les cages, et la pluie en hiver, et le poêle, et la crème sur le lait qui sera si épaisse qu'on pourra à peine la couper. Raconte-moi tout ça, George.

— Pourquoi que tu le fais pas toi-même, tu le sais tout.

— Non... raconte, toi. C'est pas la même chose si c'est moi qui le fais. Continue... George. Comment je soignerai les lapins ?

— Eh bien, dit George, on aura un grand potager, et un clapier à lapins, et des poulets. Et quand il pleuvra, l'hiver, on dira : l'travail, on s'en fout; et on allumera du feu dans le poêle, et on s'assoira autour, et on écoutera la pluie tomber sur le toit... Merde !

Il sortit son couteau de poche.

— J'ai pas le temps de t'en dire plus.

Il enfonça son couteau dans le couvercle d'une des boîtes, l'ouvrit et passa la boîte à Lennie. Ensuite, il ouvrit la seconde. Il sortit deux cuillères de sa poche et en passa une à Lennie.

Assis près du feu, ils s'emplirent la bouche de haricots et mâchèrent fortement. Quelques haricots tombèrent de la bouche de Lennie. George fit un geste avec sa cuillère.

— Qu'est-ce que tu diras demain quand le patron te posera des questions ?

Lennie cessa de mâcher et avala. Son visage était concentré.

— Je... J'lui dirai... J'lui dirai pas un mot.

— Bravo ! Parfait, Lennie ! Des fois, tu fais peut-être des progrès. Quand on aura nos deux hectares, j'te laisserai soigner les lapins, pour sûr. Surtout si tu te rappelles aussi bien que ça.

Lennie s'étranglait d'orgueil.

— J'peux me rappeler, dit-il.

George, de nouveau, fit un geste avec sa cuillère.

— Écoute, Lennie, j'veux que tu regardes bien comment que c'est fait ici. Tu pourras bien te rappeler cet endroit, n'est-ce pas ? Le ranch est à environ un quart de mille, dans cette direction. Y a qu'à suivre la rivière.

— Pour sûr, dit Lennie, j'peux me rappeler ça. Est-ce que je m'suis pas rappelé qu'il fallait pas que j'dise un mot ?

— Naturellement. Eh bien, écoute. Lennie... si tu t'attires encore quelque sale affaire, comme tu l'as déjà fait, tu viendras ici tout de suite et tu te cacheras dans les fourrés.

— Tu te cacheras dans les fourrés, dit Lennie lentement.

— Tu te cacheras dans les fourrés jusqu'à ce que je vienne te chercher. Tu pourras te rappeler ça ?

— Oui, bien sûr, George. J'me cacherai dans les fourrés jusqu'à ce que t'arrives.

— Seulement, faudra pas t'attirer d'histoire, parce que, dans ce cas, j'te laisserai pas soigner les lapins.

Il lança sa boîte vide dans les buissons.

— Non, j'm'attirerai pas d'histoire, George. J'dirai pas un mot.

— Très bien. Apporte ton ballot ici, près du feu. On sera bien ici pour dormir. Les yeux en l'air, et les feuilles. Ranime pas le feu. On va le laisser tomber.

Ils firent leur lit sur le sable, et, à mesure que les flammes baissaient, le cercle de lumière se rétrécissait. Les branches sinueuses disparurent, et il n'y eut plus qu'une lueur pâle pour révéler où se trouvaient les troncs des arbres. Lennie appela dans les ténèbres :

— George... tu dors ?

— Non. Qu'est-ce que tu veux ?

— Faudra avoir des lapins de couleur différente, George.

— Oui, bien sûr, dit George somnolent. On en aura des rouges, des verts et puis des bleus, Lennie. On en aura des millions.

— Avec des longs poils aussi, George, comme j'ai vu à la foire de Sacramento.

— Oui, avec des longs poils.

— Parce que je pourrais aussi bien m'en aller, George, et aller vivre dans une caverne.

— Tu pourrais aussi bien aller te faire foutre, dit George. Ta gueule, maintenant.

La lueur rouge pâlissait sur les braises. En haut, dans la colline au-dessus du cours d'eau, un coyote aboya, et un chien lui répondit de l'autre côté de la rivière. Les feuilles des sycomores murmurèrent au souffle léger de la nuit.

2

Le baraquement où dormaient les hommes était long et rectangulaire. À l'intérieur, les murs étaient blanchis à la chaux, et le plancher était de bois brut. De trois côtés il y avait des petites fenêtres carrées. Le quatrième côté était percé d'une porte massive avec un loquet de bois. Contre les murs il y avait huit lits. Cinq d'entre eux étaient faits avec des couvertures, les trois autres montraient la toile à sac des matelas. Au-dessus de chaque lit, des caisses à pommes étaient clouées, l'ouverture en avant, formant ainsi deux étagères pour que l'occupant du lit y pût mettre ses objets personnels. Et ces étagères étaient encombrées de petits articles : savons, poudre de talc, rasoirs, et ces magazines du Wild West que les hommes des ranches adorent lire, dont ils se moquent, mais que, secrètement, ils prennent au sérieux. Et il y avait des médicaments sur les étagères, des petites fioles, des peignes. Quelques cravates pendaient à des clous fichés sur les parois des caisses. Près d'un des murs, il y avait un poêle en fonte noir dont le tuyau entrait tout droit dans le plafond. Au milieu de la chambre, une grande table carrée était couverte de cartes à jouer, et, tout autour, il y avait des caisses pour que les joueurs pussent s'asseoir.

Il était environ dix heures du matin. À travers une des

fenêtres latérales, le soleil dardait un rayon lumineux chargé de poussière. Des mouches le traversaient comme des étoiles filantes.

Le loquet de bois se souleva. La porte s'ouvrit, et un grand vieillard voûté entra. Il était vêtu de coutil bleu, et il tenait un grand balai dans la main gauche. George entra derrière lui, et derrière George, Lennie.

— Le patron vous attendait hier soir, dit le vieux. Il s'est foutu en rogne quand il a vu que vous étiez pas là ce matin.

Il tendit le bras droit et, de la manche, sortit un poignet rond comme un morceau de bois, mais sans main.

— Vous pourrez occuper ces deux lits, dit-il en montrant les deux lits près du poêle.

George s'approcha et jeta ses couvertures sur le sac de paille qui servait de matelas. Il regarda dans sa caisse-étagère et y prit une petite boîte en fer jaune.

— Hé, qu'est-ce que c'est que ça ?

— J'sais pas, dit le vieux.

— Ça dit « Destruction radicale des poux, cafards et autres vermines ». Qu'est-ce que c'est que ces foutus lits que vous nous donnez là ? Nous avons pas envie d'attraper des morpions.

Le vieil homme à tout faire changea son balai de côté et le maintint entre son coude et sa hanche tout en avançant la main pour saisir la boîte. Il examina soigneusement l'étiquette.

— J'vas vous dire..., dit-il, finalement, le dernier type qu'a eu ce lit était forgeron... Un bon bougre, et on ne trouverait pas plus propre. Il se lavait les mains même *après* avoir mangé.

— Alors, comment que ça se fait qu'il avait des poux ?

George sentait sa colère monter lentement. Lennie posa son ballot sur le lit voisin et s'assit. Il regardait George, la bouche ouverte.

— J'vas vous dire, dit le vieux, ce forgeron — il s'appelait Whitey — c'était un de ces types qu'auraient mis partout de ce truc-là même s'il n'y avait pas eu de petites bêtes... rien que pour plus de sûreté, vous comprenez ? J'vas vous dire ce qu'il avait l'habitude de faire... À table, il pelait ses pommes de terre bouillies, et il enlevait la plus petite tache. Et s'il y avait un point rouge sur un œuf, il fallait qu'il le gratte. Finalement, il est parti à cause de la nourriture. V'là le genre de type que c'était... propre. Le dimanche, il s'habillait toujours, même s'il n'allait nulle part, il mettait même une cravate, et puis il restait assis dans la chambre.

— J'suis pas si sûr, dit George sceptique. Pourquoi c'est-il qu'il est parti, vous avez dit ?

Le vieux mit la boîte jaune dans sa poche et frotta du poing sa joue mal rasée, hérissée de poils blancs.

— Ben... il est parti... simplement, comme ça, comme on fait. Il a dit que c'était la nourriture. Il avait envie de changer. Il a pas donné d'autre raison que la nourriture. Il a dit seulement, un soir : « Donnez-moi ce qui m'est dû », comme on fait toujours.

George souleva son matelas et regarda dessous. Il se pencha au-dessus et inspecta la toile, soigneusement. Sans plus tarder, Lennie se leva et fit la même chose à son lit. Finalement, George sembla satisfait. Il déroula son ballot, posa ses affaires sur l'étagère, son rasoir, un morceau de savon, son peigne, un flacon de pilules, son liniment et son bracelet de cuir. Ensuite, il fit soigneusement son lit avec ses couvertures. Le vieux dit :

— J'pense que l'patron va être ici dans une minute. Sûr qu'il était en rogne quand il n'vous a pas vus ce matin. Il s'est amené tout droit là où qu'on déjeunait, et il a dit : « Où qu'ils ont foutu le camp, les nouveaux ? » Et il a engueulé le palefrenier, en plus.

George effaça un pli sur son lit, et s'assit.

— Il a engueulé le palefrenier ? demanda-t-il.

— Oui, j'vas vous dire, le palefrenier, c'est un nègre.

— Un nègre, hein ?

— Oui. Et un brave type. Il a le dos de travers, là où il a reçu un coup de pied de cheval. Le patron l'engueule quand il est en rogne. Mais le palefrenier s'en fout. Il lit tout le temps. Il a des livres dans sa chambre.

— Quel genre de type c'est-il, le patron ? demanda George.

— Oh ! il est assez gentil. Il se fout en rogne, des fois, mais il est assez gentil. J'vas vous dire... vous savez pas ce qu'il a fait à Noël ? Ben, il a apporté un gallon de whiskey, ici même, et il a dit : « Buvez un bon coup, les gars, y a qu'un Noël par an. »

— Sans blague ? Tout un gallon ?

— Comme j'vous le dis. Bon Dieu, ce qu'on a rigolé ! On a laissé venir le nègre, ce soir-là. Y a un petit roulier, il s'appelle Smitty, il s'est mis après le nègre. Même qu'il s'en est assez bien tiré. Les gars n'lui ont pas laissé employer ses pieds, alors, c'est le nègre qui l'a eu. S'il avait pu se servir de ses pieds, Smitty a dit qu'il aurait tué le nègre. Les gars ont dit qu'à cause que le nègre avait le dos tordu, Smitty pourrait pas se servir de ses pieds.

Il s'arrêta pour savourer le souvenir.

— Après ça, tous les types sont allés faire la noce à Soledad. Moi, j'y suis pas allé. J'ai plus le goût à ça.

Lennie achevait de faire son lit. Le loquet de bois se souleva de nouveau et la porte s'ouvrit. Un petit homme trapu se tenait sur le seuil. Il portait un pantalon de coutil bleu, une chemise de flanelle, un gilet noir déboutonné et un veston noir. Il tenait ses pouces dans sa ceinture, de chaque côté d'une boucle d'acier carrée. Il était coiffé d'un vieux feutre brun, et il portait des bottes à hauts talons avec des éperons, preuve qu'il n'était pas un journalier.

Le vieux lui jeta un regard rapide, et, traînant les pieds, se dirigea vers la porte en se frottant la barbe avec son poing.

— Ils viennent juste d'arriver, dit-il.

Il passa près du patron et sortit.

Le patron s'avança dans la chambre à petits pas pressés, comme un homme aux jambes trop grasses.

— J'ai écrit à Murray and Ready qu'il me fallait deux hommes ce matin. Vous avez vos cartes de travail ?

George chercha dans sa poche, en sortit les bons et les donna au patron.

— C'est pas la faute de Murray and Ready. J'vois là, écrit sur cette carte, que vous étiez supposés être ici ce matin, à temps pour travailler.

George regarda à ses pieds.

— Le conducteur de l'autobus nous a foutus dedans, dit-il. Il a fallu qu'on marche dix milles. Il a dit qu'on était rendus quand on l'était pas. On n'a pu trouver personne pour nous emmener, ce matin.

Le patron cligna les yeux.

— J'ai dû envoyer les chars à grains avec deux hommes de moins. Ça ne servirait à rien de partir maintenant. Vous attendrez après déjeuner.

Il sortit son carnet d'embauchage de sa poche et l'ouvrit là où un crayon séparait les feuilles. Intentionnellement, George jeta à Lennie un regard sévère, et Lennie, d'un signe de tête, montra qu'il avait compris. Le patron lécha son crayon.

— Comment t'appelles-tu ?

— George Milton.

— Et toi ?

George dit :

— Il s'appelle Lennie Small.

Les noms furent couchés sur le carnet.

— Voyons, nous sommes le vingt, midi, le vingt.

Il ferma le carnet.

— Où avez-vous travaillé, tous les deux ?

— Dans le Nord, à Weed, dit George.

— Toi aussi ? (à Lennie.)

— Oui, lui aussi, dit George.

Plaisamment, le patron montra Lennie du doigt.

— Il n'est pas très causant, hein ?

— Non, pas très, mais, pour ce qui est du travail, il en fout un coup. Fort comme un taureau.

Lennie se sourit à lui-même.

— Fort comme un taureau, répéta-t-il.

George lui jeta un regard sévère, et Lennie, confus, baissa la tête.

Le patron dit brusquement :

— Dis-moi, Small — Lennie leva la tête —, qu'est-ce que tu sais faire ?

Affolé, Lennie, d'un coup d'œil, appela George à son secours.

— Il peut faire tout ce qu'on lui demande, dit George. Il sait conduire les mules, il peut porter des sacs de grains, manier un scarificateur. Il peut faire n'importe quoi. Vous n'avez qu'à essayer.

Le patron se tourna vers George.

— Alors, pourquoi ne le laisses-tu pas répondre ? Qu'est-ce que t'as donc derrière la tête ?

George s'écria d'une voix forte :

— Oh ! j'dis pas qu'il soit intelligent. Ça non. Mais je dis que, pour l'ouvrage, il en fout un coup. Il peut soulever des charges de quatre cents livres.

Le patron, d'un air décidé, remit le carnet dans sa poche. Il fourra ses pouces dans sa ceinture et ferma presque un œil.

— Dis-moi un peu, qu'est-ce que tu vends ?

— Hein ?

— Je dis combien d'argent as-tu mis sur ce gars-là ? Est-ce que tu lui prendrais sa paie par hasard ?

— Bien sûr que non. Alors, vous vous figurez que je cherche à le vendre ?

— Dame, j'ai jamais vu un type s'intéresser autant à un autre. J'veux simplement savoir d'où vient ton intérêt.

George dit :

— C'est... mon cousin. J'ai promis à sa mère que je m'occuperais de lui. Il a reçu un coup de pied de cheval dans la tête quand il était gosse. Il est comme tout le monde. Seulement, il est pas intelligent. Mais il peut faire tout ce qu'on lui demande.

Le patron se tourna à demi.

— Dieu sait qu'on n'a pas besoin d'être malin pour porter des sacs d'orge. Mais essaie pas de me rouler, Milton. J't'ai à l'œil. Pourquoi c'est-il que vous êtes partis de Weed ?

— L'ouvrage était fini, dit George rapidement.

— Quel genre d'ouvrage ?

— On... on creusait un puisard.

— Ça va. Mais essaie pas de me rouler, parce que j'me laisse pas faire. J'ai vu des malins avant toi. Après déjeuner vous irez travailler au grain. On ramasse l'orge aux batteuses. Vous partirez avec l'équipe de Slim.

— Slim ?

— Oui. Un grand roulier. Tu le verras au déjeuner.

Il fit demi-tour brusquement et se dirigea vers la porte, mais, avant de sortir, il se retourna et fixa longuement les deux hommes.

Quand le bruit de ses pas se fut éloigné, George se retourna vers Lennie.

— J'croyais que tu ne dirais pas un mot. J'croyais que t'allais fermer ta trappe et me laisser le soin de parler. Pour un peu on perdait notre place.

Lennie, navré, regardait ses mains.

— J'ai oublié, George.

— Oui, t'as oublié. T'oublies toujours, et il faut que je te tire d'affaire.

Il se laissa tomber lourdement sur son lit.

— Maintenant, il nous a à l'œil. Maintenant, il va falloir faire attention à n'pas faire de gaffe. Tu vas fermer ta trappe, après ça ?

Il s'absorba dans un silence mélancolique.

— George.

— Qu'est-ce que tu veux encore ?

— J'ai jamais reçu de coup de pied dans la tête, dis, George ?

— Ça vaudrait bougrement mieux si t'en avais reçu un, dit George méchamment. Ça épargnerait bien des emmerdements à tout le monde.

— T'as dit que j'étais ton cousin, George.

— Ben, c'était un mensonge. Et que j'suis sacrément content que c'en était un. Si je t'étais parent, j'me foutrais une balle dans la peau.

Il s'arrêta brusquement, s'avança vers la porte ouverte et regarda au-dehors.

— Eh, toi, qu'est-ce que tu fous là à écouter ?

Le vieux entra lentement dans la chambre. Il tenait son balai à la main. Un chien de berger se traînait derrière lui, le museau gris, avec des yeux pâles de vieux chien aveugle. Péniblement, le chien s'en alla dans un coin de la chambre en boitant et se coucha avec un grognement sourd. Puis il se mit à lécher son pelage gris et rogneux. Le vieux attendit qu'il fût installé.

— J'écoutais pas. J'm'étais seulement arrêté à l'ombre, une minute, pour gratter mon chien. J'viens juste de finir de balayer le lavabo.

— T'avais l'oreille à ce qui se disait ici, dit George. J'aime pas les gens qui foutent leur nez dans mes affaires.

Le vieux, gêné, regarda George, puis Lennie, puis George de nouveau.

— Je v'nais d'arriver, dit-il. J'ai rien entendu de ce que vous disiez. Ça ne m'intéressait pas, ce que vous disiez. Dans un ranch, on n'doit pas écouter, et on n'doit pas poser de questions.

— C'est la vérité, dit George un peu radouci, si on veut conserver sa place.

Mais il était rassuré par la défense du vieux.

— Viens ici t'asseoir une minute, dit-il. Il est sacrément vieux, ce chien.

— Oui, j'l'ai depuis qu'il était tout petit. Bon Dieu, c'était un bon berger quand il était plus jeune.

Il posa son balai contre le mur et frotta sa barbe grise avec son poing.

— Qu'est-ce que tu dis du patron ?

— Pas mal. Il a l'air bien.

— C'est un brave type, approuva le vieux. Faut savoir le prendre.

À ce moment, un jeune homme entra dans la chambre. Un jeune homme brun, aux yeux noirs et aux cheveux crépus. Il avait la main gauche dans un gant de travail, et comme le patron, il était chaussé de bottes à hauts talons.

— T'as vu mon père ? demanda-t-il.

Le vieux dit :

— Il était ici il y a une minute, Curley. Il est allé à la cuisine, je crois.

— J'vais essayer de le rattraper, dit Curley.

Ses yeux se posèrent sur les nouveaux venus et il s'arrêta. Il regarda George froidement, puis Lennie. Peu à peu, ses bras se plièrent aux coudes et il ferma les poings. Il se raidit et se baissa légèrement. Ses regards étaient à la fois calculateurs et belliqueux. En se voyant fixé ainsi, Lennie, mal à l'aise, s'agita, bougea les pieds nerveusement. Curley, doucement, s'approcha tout près de lui.

— C'est vous les nouveaux que mon père attendait ?

— Nous v'nons juste d'arriver, dit George.

— Laisse parler le grand.

Lennie se tortillait, embarrassé.

George dit :

— Et si des fois il n'avait pas envie de parler ?

Curley se retourna d'un bond.

— Nom de Dieu, faudra bien qu'il réponde si on lui parle. Qui est-ce qui te prie de te mêler de ça ?

— On voyage ensemble, dit George froidement.

— Oh ! c'est donc ça.

George était crispé, immobile.

— Oui, c'est ça.

Éperdu, Lennie regardait George pour savoir que faire.

— Et tu ne veux pas laisser parler le grand, pas vrai ?

— Il peut parler s'il a envie de vous dire quelque chose. Il fit un léger signe à Lennie.

— Nous v'nons juste d'arriver, dit Lennie doucement.

Curley le regarda fixement.

— Eh bien, la prochaine fois, faudra répondre quand on te parlera.

Il se retourna vers la porte et sortit, et ses coudes étaient encore légèrement pliés.

George le regarda partir, puis il se tourna vers le vieux.

— Dis donc, qu'est-ce qui lui fait mal à celui-là ? Lennie lui a rien fait.

Le vieux regarda la porte prudemment afin d'être sûr que personne n'écoutait.

— C'est le fils au patron, dit-il tranquillement. Curley est un gars habile. Il s'est un peu occupé de boxe. C'est un poids léger, et il est bien habile.

— Ben, j'veux bien qu'il soit habile, dit George. Il a pas besoin de s'en prendre à Lennie. Lennie lui a rien fait. Pourquoi qu'il en veut à Lennie ?

Le vieux réfléchit...

— Ben... J'vas te dire. Curley est comme un tas de petits gars. Il aime pas ceux qui sont grands. Il passe son temps à se chamailler avec les grands types. Comme qui dirait que ça le met en rogne d'être pas grand lui-même. T'as bien connu des petits gars comme ça, pas vrai ? Tout le temps à se chamailler.

— Oh ! pour sûr, dit George. J'en ai connu des tas de petits hargneux. Mais ton Curley fera aussi bien de n'pas se tromper sur le compte de Lennie. Lennie est pas habile, lui, mais ce petit salaud se fera amocher s'il se mêle d'embêter Lennie.

— Ça empêche pas que Curley, c'est un gars habile, dit le vieux avec scepticisme. Ça m'a jamais semblé juste, à moi. Une supposition que Curley saute sur un grand type et lui foute une pile, alors tout le monde dira que Curley est un type qui sait y faire. Et suppose qu'il fasse la même chose et que ça soit lui qui reçoive la pile, alors tout le monde dira que le grand type aurait dû se battre avec quelqu'un de sa taille, et peut-être bien qu'ils sauteront tous sur le grand type. Ça m'a jamais semblé juste, à moi. Il semblerait qu'avec Curley on n'a jamais la chance de son côté.

George surveillait la porte. Il dit, menaçant :

— En tout cas, il fera bien de faire attention à Lennie. Lennie est pas un boxeur, mais Lennie est fort et rapide, et Lennie ne connaît pas les règles.

Il se dirigea vers la table carrée et s'assit sur une des caisses. Il ramassa quelques cartes et les battit.

Le vieux s'assit sur une autre caisse.

— Dis pas à Curley que j't'ai dit ça. Il me foutrait dehors.

Lui, il s'en fout. On n'peut pas le foutre dehors, parce que c'est le fils au patron.

George coupa les cartes et commença à les retourner, les regardant l'une après l'autre en les mettant en pile. Il dit :

— Le Curley me fait tout l'effet d'un enfant de garce. J'aime pas les petits hargneux.

— Il me semble qu'il est pire depuis quelque temps, dit le vieux. Il s'est marié, il y a une quinzaine. Sa femme habite là-bas, chez le patron. Il semble que Curley est plus arrogant depuis qu'il est marié.

George grogna :

— C'est pour faire de l'esbroufe devant sa femme.

Le vieux s'intéressait à son potin.

— T'as vu ce gant qu'il porte à la main gauche ?

— Oui, j'l'ai vu.

— Ben, ce gant est plein de vaseline.

— De vaseline ? Pour quoi foutre ?

— Ben, j'vas te dire... Curley dit que c'est pour conserver cette main-là bien douce pour sa femme.

George étudiait ses cartes avec attention.

— C'est pas propre de raconter des choses comme ça, dit-il.

Le vieux fut rassuré. Il avait amené George à exprimer un blâme. Maintenant, il se sentait en terrain ferme, et il parla avec plus de confiance.

— Attends que t'aies vu la femme à Curley.

George coupa de nouveau les cartes et aligna une réussite, lentement, avec réflexion.

— Jolie ? dit-il incidemment.

— Oui. Jolie... mais...

George étudiait ses cartes.

— Mais quoi ?

— Ben... elle a pas froid aux yeux.

— Ah oui ? Mariée depuis quinze jours et pas froid aux yeux, hé ? C'est peut-être bien ça qui rend le Curley si chatouilleux.

— J'l'ai vue faire de l'œil à Slim. Slim, c'est un gars qui conduit les mules. Un type épatant. Slim a pas besoin de bottes à hauts talons pour travailler au grain. J'l'ai vue faire de l'œil à Slim. Curley a pas vu ça. Et j'l'ai vue faire de l'œil à Carlson.

George affectait l'indifférence.

— On va pouvoir rigoler à ce qu'il paraît.

Le vieux se leva de sa caisse.

— Tu sais pas ce que je pense ?

George ne répondit pas.

— Ben, j'pense que Curley a épousé... une pute.

— Il est pas le premier, dit George. Il y en a plus d'un qui a fait ça.

Le vieux se dirigea vers la porte, et son vieux chien leva la tête et regarda autour de lui. Puis, il se dressa péniblement sur ses pattes pour le suivre.

— Faut que j'aille sortir les cuvettes pour les gars. Les chariots vont être là dans pas longtemps. Vous allez charger de l'orge, vous autres ?

— Oui.

— Tu diras pas à Curley ce que j't'ai raconté ?

— Foutre non.

— T'auras qu'à la regarder. Tu verras si c'est pas une pute.

Il sortit dans le soleil ardent.

George posait ses cartes soigneusement, faisait des paquets de trois. Il mit quatre trèfles sur sa pile d'as. Le carré de soleil était maintenant sur le plancher, et les mouches le traversaient comme des étincelles. Un tintement de harnais, et le gémissement d'essieux lourdement chargés résonnèrent au-dehors. Un appel clair éclata au loin.

— Palefrenier... Oooh ! Palefrenier !

Et ensuite :

— Nom de Dieu, où est-il fourré, ce sacré nègre ?

George contemplait sa réussite, puis il brouilla les cartes et se retourna vers Lennie. Étendu sur son lit, Lennie l'observait.

— Écoute, Lennie ! Y a pas de quoi rire avec tout ça. J'ai peur. Tu vas avoir des embêtements avec ce type, Curley. J'ai déjà vu ce genre-là. Comme qui dirait, il a fait ça pour te tâter. Il s'figure qu'il t'a foutu la trouille, et il te foutra son poing sur la gueule à la première occasion.

Les yeux de Lennie s'étaient remplis d'effroi.

— J'veux pas d'embêtements, dit-il plaintivement. George, tu le laisseras pas me battre, dis ?

George se leva et alla s'asseoir sur le lit de Lennie.

— C'est un genre de salauds que je déteste, dit-il. J'en ai vu des tas. Comme dit le vieux, Curley ne court jamais de risques. Il gagne toujours.

Il réfléchit un moment.

— S'il t'embête, Lennie, on foutra le camp. Faut pas t'y tromper. C'est le fils au patron. Écoute, Lennie. Tu tâcheras de l'éviter, hein ? Ne lui parle jamais. S'il s'amène ici, va-t'en à l'autre bout de la chambre. Tu feras ça, Lennie ?

— J'veux pas avoir d'embêtements, gémit Lennie. J'lui ai jamais rien fait.

— Ça n't'avancera à rien si Curley veut se mettre à poser au boxeur. Ne t'approche jamais de lui. Tu te rappelleras ?

— Pour sûr, George, j'dirai pas un mot.

Le bruit des chars à grains s'amplifiait, piétinement des lourds sabots sur le sol durci, grincement des freins, tintement des chaînes de traits. Les hommes s'interpellaient d'un attelage à l'autre. George, assis sur le lit près de Lennie, fronçait les sourcils en réfléchissant. Lennie lui demanda timidement :

— T'es pas fâché, George ?

— J'suis pas fâché contre toi. J'suis fâché contre ce salaud de Curley. J'espérais qu'on allait pouvoir se faire un peu d'argent, tous les deux... une centaine de dollars, peut-être bien.

Il prit un ton décisif.

— Lennie, t'approche pas de lui.

— Non, George, j'm'approcherai pas. J'dirai pas un mot.

— Le laisse pas te provoquer... mais, si l'enfant de garce te fout son poing sur la gueule... ben, rends-lui.

— Rends-lui quoi, George ?

— T'en fais pas, t'en fais pas. Je te le dirai quand il sera temps. Ce genre de types, j'peux pas les sentir. Écoute, Lennie, s'il t'arrive une histoire, tu te rappelles ce que je t'ai dit de faire ?

Lennie se souleva sur le coude, le visage contracté par l'effort de la réflexion. Puis, ses yeux se tournèrent tristement vers le visage de George.

— S'il m'arrive une histoire, tu me laisseras pas soigner les lapins ?

— C'est pas ce que je veux dire. Tu te rappelles où nous avons couché, la nuit dernière ? Là-bas, près de la rivière ?

— Oui, je me rappelle. Oh ! pour sûr que je me rappelle. J'irai là-bas me cacher dans les fourrés.

— Te cacher jusqu'à ce que je vienne te chercher. Que personne te voie. Cache-toi dans les fourrés, près de la rivière. Répète.

— Cacher dans les fourrés près de la rivière, dans les fourrés près de la rivière.

— S'il t'arrive une histoire.

— S'il m'arrive une histoire.

Un frein grinça au-dehors. Un appel retentit.

— Palefrenier ! Oooh ! Palefrenier !

George dit :

— Répète-le tout bas, Lennie, pour ne pas l'oublier.

Les deux hommes levèrent les yeux car le rectangle de soleil de la porte s'était masqué. Debout, une jeune femme regardait dans la chambre. Elle avait de grosses lèvres enduites de rouge, et des yeux très écartés fortement maquillés. Ses ongles étaient rouges. Ses cheveux pendaient en grappes bouclées, comme des petites saucisses. Elle portait une robe de maison en coton, et des mules rouges, ornées de petits bouquets de plumes d'autruche rouges.

— Je cherche Curley, dit-elle.

Sa voix avait quelque chose de nasal et de cassant.

George détourna les yeux puis la regarda de nouveau.

— Il était ici il y a une minute, mais il est parti.

— Oh ! — Elle mit sa main derrière son dos et s'adossa au montant de la porte afin de projeter son corps. — C'est vous les nouveaux qui venez d'arriver ?

— Oui.

Lennie la toisa du regard, et, bien qu'elle ne semblât pas regarder Lennie, elle se cambra légèrement. Elle regarda ses ongles.

— Des fois, Curley est ici, expliqua-t-elle.

George dit brusquement :

— Eh bien, il n'y est pas en ce moment.

— Dans ce cas, dit-elle d'un ton mutin, je ferais mieux d'aller chercher ailleurs.

Lennie l'observait, fasciné. George dit :

— Si j'le vois, j'lui dirai que vous le cherchez.

Elle sourit avec malice et fit onduler ses hanches.

— On n'peut pas blâmer les gens de chercher, dit-elle.

Quelqu'un passa derrière elle. Elle tourna la tête.

— Bonjour, Slim, dit-elle.

La voix de Slim pénétra par la porte.

— Bonjour, belle enfant.

— J'essaie de trouver Curley, Slim.

— Vous essayez pas trop fort. J'viens de le voir qui rentrait chez vous.

Elle s'effraya soudain.

— Adieu, les gars, cria-t-elle dans la chambre, et elle s'éloigna en hâte.

George regarda Lennie.

— Nom de Dieu, quelle traînée! dit-il. Alors, c'est ça que Curley a dégotté comme femme!

— Elle est jolie, dit Lennie pour la défendre.

— Oui, et pour sûr qu'elle fait de son mieux pour le cacher. Curley a pas fini d'en voir. J'parie qu'elle filerait pour vingt dollars.

Lennie regardait toujours la porte qu'elle venait de quitter.

— Bon Dieu, ce qu'elle était jolie! Et il souriait d'admiration. George lui jeta un regard rapide, puis il le prit par l'oreille et le secoua.

— Écoute-moi, bougre de con, dit-il furieux, t'avise pas de regarder cette garce. J'me fous de ce qu'elle dit ou de ce qu'elle fait. C'est pas la première fois que je vois des poisons comme ça, mais j'ai jamais rien vu de meilleur pour faire coffrer un type. Laisse-la tranquille.

Lennie essayait de se dégager l'oreille.

— J'ai rien fait, George.

— Non, bien sûr, mais quand elle était là, sur la porte, à montrer ses jambes, tu regardais pas de l'autre côté.

— J'pensais à rien de mal, George. Vrai de vrai.

— En tout cas, t'approche pas d'elle, parce que, comme piège à rat, on n'fait pas mieux. Laisse Curley s'y faire coincer. C'est lui qui l'aura voulu. Un gant plein de vaseline! dit

George avec dégoût. Et j'parie qu'il bouffe des œufs crus et qu'il écrit à toutes les pharmacies.

Lennie s'écria brusquement :

— J'me plais pas ici, George. C'est pas un bon endroit. J'veux m'en aller.

— Il faut rester jusqu'à ce qu'on ait un peu de pèze. On n'y peut rien, Lennie. Nous partirons dès qu'on pourra. J'l'aime pas plus que toi, ce patelin.

Il se dirigea vers la table et commença une autre réussite.

— Non, j'l'aime pas, dit-il. Pour un rien, j'foutrais le camp. Si seulement on peut s'faire quelques dollars, on s'en ira remonter l'American River et laver de l'or. On pourra gagner deux ou trois dollars par jour, là-bas, et puis on trouvera peut-être un filon.

Lennie se pencha anxieusement vers lui.

— Partons, George. Partons d'ici. C'est pas franc, ici.

— Faut que nous restions, dit George sèchement. Tais-toi, maintenant. Les types vont venir.

Dans le lavabo voisin on entendait des bruits d'eau courante et de cuvettes remuées. George étudiait ses cartes.

— On devrait peut-être aller se laver, dit-il. Mais nous n'avons rien fait pour nous salir.

Un homme très grand se dressait sur le seuil. Il tenait un chapeau de feutre aplati sous le bras tout en peignant en arrière ses longs cheveux noirs tout humides. Comme les autres il portait un pantalon bleu et une veste courte en toile. Quand il eut fini de se coiffer, il entra dans la chambre qu'il traversa avec une majesté que seuls connaissent les personnes royales et les maîtres artistes. Il était roulier et le roi du ranch, capable de mener dix, seize et même vingt mules avec une seule guide aux mules de tête. D'un coup de fouet, il pouvait tuer une mouche sur la croupe d'une mule sans toucher la bête. Il y avait dans ses manières une gravité et un calme si profonds que les conversations s'arrêtaient dès qu'il parlait. Son autorité était si grande qu'on le croyait sur parole quel que fût le sujet, politique ou amour. C'était Slim, le roulier. Son visage en lame de couteau n'avait pas d'âge. Il aurait pu avoir trente ans aussi bien que cinquante. Ses oreilles entendaient plus qu'on ne lui disait, et sa parole lente avait des nuances, non de pensée, mais de compréhension au-delà des pensées. Ses mains, grandes et minces, se mouvaient aussi délicatement que des mains de danseuse sacrée.

Il défroissa son chapeau écrasé, lui fit une fente au milieu et se le mit sur la tête. Il jeta sur les deux hommes dans la chambre un regard bienveillant.

— Y a un soleil de tous les diables, dehors, dit-il gentiment. J'peux à peine voir ici. C'est vous les nouveaux?

— On vient d'arriver, dit George.

— Vous allez travailler à l'orge?

— C'est ce qu'a dit le patron.

Slim s'assit sur une caisse, de l'autre côté de la table, en face de George. Il examina la réussite étalée à l'envers devant lui.

— J'espère que vous serez avec moi, dit-il.

Sa voix était très douce.

— J'ai deux couillons dans mon équipe qui n'sont même pas foutus de reconnaître un sac d'orge. Vous autres, vous en avez déjà manié, de l'orge?

— Foutre oui, dit George. Moi, j'ai pas de quoi me vanter, mais ce grand bougre-là, il peut porter plus de grain que deux gars ordinaires.

Lennie, qui avait suivi la conversation des yeux, sourit complaisamment à cet éloge. Slim, d'un regard, approuva George d'avoir lancé le compliment. Il se pencha sur la table et fit claquer le coin d'une carte inemployée.

— Vous voyagez ensemble?

Il parlait d'un ton amical qui invitait aux confidences sans pourtant les solliciter.

— Oui, dit George. Comme qui dirait, on prend soin l'un de l'autre.

Du pouce il montra Lennie.

— Il est pas intelligent. Mais, pour le travail, il n'en craint pas. C'est un bon bougre, mais il est pas intelligent. Y a longtemps que je l'connais.

Slim regarda à travers George et au-delà.

— Y a pas beaucoup de gars qui voyagent ensemble, dit-il d'un ton rêveur. J'sais pas pourquoi. Peut-être que les gens ont peur les uns des autres, dans ce sacré monde.

— C'est bien plus agréable de voyager avec quelqu'un qu'on connaît, dit George.

Un homme robuste et corpulent entra dans la chambre. L'eau qui lui dégouttait de la tête attestait qu'il l'avait lavée et frottée.

— Hé ! Slim, dit-il, et, s'arrêtant, il dévisagea George et Lennie.

— Ils viennent juste d'arriver, dit Slim en guise de présentations.

— Enchanté, dit le gros homme. Je m'appelle Carlson.

— Moi, George Milton. Et lui, là, Lennie Small*.

— Enchanté, répéta Carlson. Il n'est pas précisément petit.

Il éclata d'un rire léger à cette plaisanterie.

— Il n'est pas petit du tout, répéta-t-il. J'voulais te demander, Slim... Où en est ta chienne ? J'ai remarqué qu'elle n'était pas sous la charrette, ce matin.

— Elle a fait ses petits, hier soir, dit Slim. Y en a neuf. J'en ai tout de suite noyé quatre. Elle n'aurait pas pu en nourrir tant que ça.

---

* *Small* signifie petit.

— Ça fait qu'il en reste cinq ?

— Oui, cinq. J'ai gardé les plus gros.

— De quelle espèce crois-tu qu'ils seront ?

— J'sais pas, dit Slim. Des espèces de chiens de berger, j'suppose. J'ai guère vu que ça autour d'elle quand elle était en chaleur.

Carlson continua :

— Comme ça, t'as cinq chiots. Tu vas les garder tous ?

— J'sais pas. Faut que je les garde quelque temps pour qu'ils boivent le lait de Lulu.

Carlson dit d'un ton réfléchi :

— Parce que, écoute, Slim, j'ai pensé à une chose. Ce sacré chien de Candy est si vieux qu'il peut à peine marcher. En plus, il pue comme le diable. Chaque fois qu'il vient dans cette chambre, j'peux le sentir pendant deux ou trois jours. Pourquoi que tu dis pas à Candy de tuer son vieux chien et d'élever un des petits ? J'peux sentir ce chien à un mille de distance. Il a plus de dents, il est aux trois quarts aveugle, il peut plus manger. Candy le nourrit au lait. Il peut rien mâcher d'autre.

George était resté les yeux intensément fixés sur Slim. Soudain, un triangle se mit à tinter, lentement d'abord, puis de plus en plus vite jusqu'à ce que les battements ne fussent plus qu'un son unique. Il s'arrêta aussi brusquement qu'il avait commencé.

— V'la que ça sonne, dit Carlson.

Au-dehors, comme un groupe d'hommes passait, on entendit des éclats de voix.

Slim se leva lentement et avec dignité.

— Allons, les gars, vous ferez bien de venir tant qu'il y a quelque chose à manger. Il ne restera rien dans deux minutes.

Carlson s'effaça pour laisser passer Slim, puis tous les deux franchirent la porte.

Lennie, très agité, regardait George. George brouilla ses cartes en une masse confuse.

— Oui, dit George, je l'ai entendu, Lennie. J'lui demanderai.

— Un brun et blanc, s'écria Lennie, hors de lui.

— Viens. Allons dîner. J'sais pas s'il en a un brun et blanc.

Lennie ne bougeait pas de son lit.

— Demande-lui tout de suite, George, pour qu'il n'en tue pas d'autres.

— Mais oui. Allons viens, mets-toi debout.

Lennie roula hors de son lit et se mit debout, et tous deux se dirigèrent vers la porte. Au moment où ils l'atteignaient, Curley entra en coup de vent.

— Vous n'avez pas vu une femme par là ? demanda-t-il avec colère.

George dit froidement :

— Y a environ une demi-heure, peut-être bien.

— Qu'est-ce qu'elle foutait ici ?

Immobile, George regardait le petit homme curieux. Il dit d'un ton insultant :

— Elle a dit... qu'elle vous cherchait.

Curley sembla vraiment apercevoir George pour la première fois. Il lui jeta un regard flamboyant, le mesura, apprécia ses possibilités, examina sa taille bien prise.

— Et de quel côté est-elle allée ? demanda-t-il enfin.

— J'sais pas, dit George. J'l'ai pas regardée s'en aller.

Curley le regarda hostilement et, faisant demi-tour, s'enfuit par la porte.

George dit :

— Tu sais pas, Lennie, ben, j'ai peur de faire du grabuge moi-même avec ce salaud-là. Il a une gueule qui n'me revient pas. Amène-toi, nom de Dieu. On n'aura plus rien à bouffer.

Ils sortirent. Le soleil n'était plus qu'une raie mince sous la fenêtre. Au loin, on pouvait entendre un vacarme d'assiettes.

Un moment après, le vieux chien entra en boitant par la porte ouverte. Il regarda de droite et de gauche avec ses yeux doux qui voyaient à peine. Il renifla et posa sa tête sur ses pattes. Curley réapparut sur le seuil et regarda dans la chambre. Le chien leva la tête, mais quand Curley, brusquement, s'éclipsa, la tête grise retomba sur le plancher.

3

Bien que la clarté du soir apparût aux fenêtres, l'intérieur du baraquement était sombre. Par la porte ouverte on entendait le bruit sourd et par instants, le tintement d'une partie de fers à cheval*. De temps à autre, des voix s'élevaient pour approuver ou critiquer.

Slim et George entrèrent ensemble dans le clair-obscur de la chambre. Slim leva le bras au-dessus de la table à jeu et alluma l'ampoule électrique atténuée par un abat-jour de fer-blanc. Aussitôt, la table s'illumina, et, le cône de l'abat-jour rabattant tout droit la lumière, les coins de la chambre restèrent sombres. Slim s'assit sur une caisse, et George prit place en face de lui.

— C'était bien peu de chose, dit Slim. Il aurait fallu que j'en noie la moitié, de toute façon. Y a pas de quoi me remercier.

George dit :

— Pour toi, peut-être bien que c'était peu de chose, mais pour lui, ça représente bougrement. Nom de Dieu, j'sais pas comment qu'on va pouvoir le décider à venir coucher

---

* Jeu très populaire dans les campagnes américaines. Analogue à notre jeu de palets, il consiste à lancer des fers le plus près possible d'un but fiché en terre.

ici. Il va vouloir coucher avec eux, dans l'écurie. On aura de la peine à l'empêcher de se fourrer lui-même dans la caisse avec les petits chiens.

— C'était bien peu de chose, répéta Slim. Dis donc, t'avais raison à son sujet. Il est peut-être pas malin, mais j'ai jamais vu son pareil pour le travail. Pour un peu, il aurait tué le gars qui travaillait à l'orge avec lui. Y a personne pour rivaliser avec lui. Bon Dieu, j'ai jamais vu un gars aussi fort.

George dit avec orgueil :

— Y a qu'à dire à Lennie ce qu'il faut faire et il le fait, moyennant qu'il n'y ait pas à réfléchir. Il n'peut penser à rien lui-même, mais sûr qu'il sait obéir.

On entendit un fer tinter contre la fiche de métal et quelques cris d'approbation.

Slim se recula un peu pour n'avoir pas la lumière sur la figure.

— C'est drôle que vous vous soyez réunis comme ça, tous les deux.

C'est ainsi que Slim, calmement, invitait aux confidences.

— Qu'est-ce que ça a de drôle ? demanda George sur la défensive.

— Oh ! j'sais pas. J'ai pas souvent vu des types circuler ensemble comme ça. Tu sais comme font les journaliers, ils s'amènent, on leur donne un lit, ils travaillent un mois, et puis ils en ont assez et ils s'en vont tout seuls. Ils ont jamais l'air de tenir à personne. Ça me semble juste un peu drôle, un dingo comme lui et un dégourdi comme toi qui se baladent comme ça ensemble.

— Il est pas dingo, dit George. Il est con comme la lune, mais il est pas fou. Et puis, j'suis pas si malin que ça moi-même, sans quoi j'chargerais pas de l'orge pour cinquante dollars, logé et nourri. Si j'étais malin, si j'étais même un peu débrouillard, j'aurais ma petite terre à moi, où que je ferais ma propre récolte au lieu de faire tout le travail sans profiter de ce qui pousse dans la terre.

George se tut. Il avait envie de parler. Slim ne l'encourageait ni ne le décourageait. Il était là, assis, calme et réceptif.

— C'est pas tellement drôle que, lui et moi, on circule ensemble, dit George finalement. Lui et moi, on est nés tous deux à Auburn. J'connaissais sa tante Clara. Elle l'a pris quand il était bébé et elle l'a élevé. Quand sa tante Clara est morte, Lennie est venu travailler avec moi. Puis au bout de quelque temps, on s'est comme qui dirait habitués l'un à l'autre.

— Hum, dit Slim.

George regarda Slim et vit ses yeux de divinité impassible fixés sur lui.

— C'est drôle, dit George. Autrefois, j'rigolais tout plein avec lui. J'lui faisais des blagues, parce qu'il était trop andouille pour se débrouiller. Mais il était même trop andouille pour s'apercevoir qu'on lui avait fait une blague. J'ai bien rigolé. J'me faisais l'effet d'être malin quand j'étais avec lui. Au point qu'il faisait n'importe quoi je lui disais. Si j'lui avais dit de sauter du haut d'une falaise, il l'aurait fait tout de suite. Au bout de quelque temps, c'était plus si rigolo. Il s'fâchait jamais non plus. J'lui ai foutu de ces peignées, et rien qu'avec ses deux mains il aurait pu me briser tous les os du corps, mais il n'a jamais levé le petit doigt sur moi.

La voix de George se fit confidentielle.

— J'vas te dire ce qui m'a fait cesser. Un jour, on était un tas de types sur le bord du Sacramento. J'me sentais en veine de blagues. Je m'tourne vers Lennie et j'lui dis : « Saute. » Et il saute. Savait pas nager une brasse. Pour un peu il se noyait avant qu'on ait pu le repêcher. Et il a été tellement chic avec moi, parce que je l'avais repêché. Il avait complètement oublié que c'était moi qui l'avais fait sauter. Ben, après ça, j'ai plus jamais recommencé.

— C'est un brave type, dit Slim. Y a pas besoin d'avoir de la cervelle pour être un brave type. Des fois, il me semble que c'est même le contraire. Prends un type qu'est vraiment malin, c'est bien rare qu'il soit un bon gars.

George rassembla les cartes éparses et commença une nouvelle réussite. Au-dehors, les fers heurtaient le sol avec un bruit sourd. Aux fenêtres, le crépuscule posait encore des carrés lumineux.

— J'ai pas de famille, dit George. J'ai vu les types qui vont travailler seuls dans les ranches. Ça vaut rien. Ils s'amusent pas. Ils finissent par devenir méchants. Ils ne pensent plus qu'à se battre tout le temps.

— Oui, ils deviennent méchants, approuva Slim. Ils en viennent au point qu'ils ne veulent plus parler à personne.

— J'sais bien que, le plus souvent, Lennie est sacrément embêtant, dit George, mais on s'habitue à rouler avec un type et on peut plus s'en passer.

— Il n'est pas méchant, dit Slim. J'peux voir que Lennie est pas méchant pour un sou.

— Bien sûr, il n'est pas méchant. Mais il lui arrive toujours des sales affaires, parce qu'il est si bête. Comme ce qui lui est arrivé à Weed...

Il s'arrêta, en retournant à demi une carte. Il parut effrayé et glissa un coup d'œil vers Slim.

— Tu l'diras à personne ?

— Qu'est-ce qu'il a fait à Weed ? demanda Slim calmement.

— Tu l'diras pas ?... non, bien sûr ?

— Qu'est-ce qu'il a fait à Weed ? redemanda Slim.

— Ben, il a vu une gonzesse en robe rouge. Le sacré couillon, il veut toucher tout ce qui lui plaît. Il n'veut rien que toucher. Alors, il avance la main pour tâter la robe rouge, et la môme se met à gueuler, et Lennie n'y comprend rien, et il s'cramponne parce qu'il n'lui vient pas à l'idée de faire autre chose. Alors, la môme gueule et gueule. J'étais pas bien loin et j'entendais tous ces cris, j'm'amène en vitesse, et Lennie avait tellement peur que tout ce qu'il pouvait faire c'était se cramponner. J'lui ai foutu un bon coup sur la tête avec un pieu de barrière pour le faire lâcher. Il avait si peur qu'il n'pouvait pas lâcher cette robe. Et puis, tu sais, il est tellement fort.

Slim, sans sourciller, regardait devant lui. Il remua lentement la tête.

— Et alors, qu'est-ce qui est arrivé ?

George, soigneusement, aligna une nouvelle rangée de cartes.

— Ben, la gonzesse s'en va en vitesse raconter à la police qu'elle avait été violée. Les types de Weed organisent une sortie pour lyncher Lennie. Alors, on a dû rester accroupis toute la journée sous l'eau dans un fossé d'irrigation. On n'avait que la tête hors de l'eau, et sous les herbes de chaque côté du fossé. Et, cette nuit-là, on a foutu le camp.

Slim resta un moment silencieux.

— Il n'a pas fait de mal à cette femme, alors ? demanda-t-il enfin.

— Eh, foutre non. Il lui a fait peur, c'est tout. J'aurais peur moi-même s'il me mettait la main dessus. Mais, il ne lui a pas fait de mal. Il ne voulait que toucher sa robe rouge, tout comme il veut sans cesse caresser ces petits chiens.

— Il n'est pas méchant, dit Slim. Un gars qu'est méchant, j'le reconnais à un mille de distance.

— Pour sûr qu'il n'est pas méchant, et il ferait tout ce que je...

Lennie franchit la porte. Il portait sa veste de coutil bleu posée sur l'épaule comme une cape, et il marchait penché en avant.

— Alors, Lennie, dit George. Tu l'aimes ton petit chien ?

Lennie dit, oppressé :

— Il est brun et blanc, juste comme je le voulais.

Sans plus attendre il se dirigea vers son lit, et se coucha face au mur, les genoux relevés.

George, d'un geste très décidé, posa ses cartes.

— Lennie, dit-il froidement.

Lennie tordit le cou et le regarda par-dessus son épaule.

— Hein, qu'est-ce que tu me veux ?

— Je t'ai dit qu'il ne fallait pas que tu apportes ton chien ici.

— Quel chien, George ? J'ai pas de chien.

George alla rapidement vers lui, le saisit par l'épaule et le fit rouler sur le dos. Il plongea la main et sortit le petit chien de l'endroit où Lennie l'avait caché, contre son ventre.

Lennie, d'un bond, se mit sur son séant.

— Donne-le-moi, George.

George dit :

— Tu vas te lever tout de suite et aller reporter ce chien dans sa caisse. Il faut qu'il dorme avec sa mère. T'as envie de le tuer ? Il est né hier soir, et tu veux déjà l'enlever de sa caisse. Rapporte-le, ou bien je dirai à Slim de ne pas te le donner.

Lennie tendit les mains d'un geste suppliant.

— Donne-le-moi, George, je le rapporterai. J'voulais rien faire de mal, George, vrai de vrai. J'voulais rien que le caresser un peu.

George lui rendit le petit chien.

— Ça va. Rapporte-le vite et ne le sors plus de sa caisse. Il n'en faudrait pas davantage pour le tuer, tu sais.

Lennie déguerpit de la chambre.

Slim n'avait pas bougé. De ses yeux calmes il regarda sortir Lennie.

— Bon Dieu, dit-il, on dirait un gosse, pas vrai ?

— Oui, il est tout comme un gosse. Et il n'a pas plus de méchanceté qu'un gosse, non plus, sauf qu'il est si fort. J'parierais qu'il ne viendra pas dormir ici, cette nuit. Il va coucher là-bas, dans l'écurie, tout contre la caisse. Enfin... laissons-le faire. Il n'pourra point faire de mal, là-bas.

La nuit était presque complètement tombée. Le vieux Candy, l'homme à tout faire, entra et se dirigea vers son lit. Son vieux chien le suivait péniblement.

— Bonsoir, Slim ; bonsoir, George. Vous n'jouez pas aux fers, vous deux ?

— J'aime pas jouer tous les soirs, dit Slim.

Candy continua.

— Y a pas un de vous des fois qu'aurait une goutte de whiskey ? J'ai mal au ventre.

— J'en ai pas, dit Slim. J'le boirais moi-même si j'en avais, quand même que j'ai pas mal au ventre.

— J'ai bien mal au ventre, dit Candy. C'est ces sacrés navets qu'en sont cause. J'savais que ça arriverait avant même de les avoir mangés.

Le gros Carlson arriva de la cour sombre. Il s'en alla à l'autre bout de la chambre et alluma l'autre ampoule à abat-jour.

— Il fait plus noir que chez le diable ici, dit-il. Nom de Dieu, ce nègre vous a une façon de lancer les fers !

— Pour sûr qu'il est bon, dit Slim.

— Et comment ! dit Carlson. Avec lui, pas moyen de gagner...

Il s'arrêta et renifla, et, tout en reniflant, il baissait les yeux vers le chien.

— Nom de Dieu, ce que ce chien pue ! Fais-le sortir, Candy ! J'connais rien qui pue autant qu'un vieux chien. Allons, fais-le sortir.

Candy roula jusqu'au bord de son lit. Il avança la main et caressa le vieux chien, et il s'excusa.

— Il y a si longtemps qu'on est ensemble que j'm'aperçois même pas qu'il pue.

— Enfin, moi, j'peux pas le supporter ici, dit Carlson. Ça pue même après qu'il est parti.

De son pas lourd, il s'approcha du chien et le regarda.

— Il n'a plus de dents, dit-il. Il est tout plein de rhumatismes. Il n'peut plus te servir à rien, Candy. Il n'peut même plus rien faire pour lui-même. Pourquoi que tu le tues pas, Candy ?

— Ben... bon Dieu ! Y a si longtemps que je l'ai. Je l'ai depuis qu'il était tout petit. J'ai gardé les moutons avec lui.

Il dit fièrement :

— Vous le croiriez pas à le voir, mais c'était le meilleur berger que j'aie jamais vu.

George dit :

— J'ai connu un type, à Weed, qu'avait un airedale qui pouvait garder les moutons. C'étaient les autres chiens qui lui avaient appris.

Carlson n'était pas homme à se laisser distraire.

— Écoute, Candy, ce vieux chien souffre tout le temps. Si tu l'emmenais et que tu lui foutrais une balle, en plein dans la nuque... — il se pencha et montra l'endroit — juste ici, il ne s'en apercevrait même pas.

Candy jeta autour de lui un regard malheureux.

— Non, dit-il doucement, non, j'pourrais pas faire ça. Y a trop longtemps que je l'ai.

— Sa vie n'est pas drôle, insista Carlson. Et il pue comme tous les diables. J'vais te dire. C'est moi qui le tuerai à ta place. Comme ça, t'auras pas à le faire.

Candy sortit ses jambes de dessus le lit. Nerveusement, il frottait les poils blancs de ses joues.

— J'suis si habitué à lui, dit-il doucement. J'l'ai depuis qu'il était tout petit.

— C'est pas être bon pour lui que de le garder en vie,

dit Carlson. Écoute, la chienne de Slim vient justement d'avoir des petits. J'suis sûr que Slim t'en donnerait un à élever, pas vrai, Slim ?

Le roulier avait observé le vieux chien de ses yeux calmes.

— Oui, dit-il, tu peux avoir un des chiots, si tu veux.

Il sembla, d'une secousse, reprendre le libre usage de sa parole.

— Carl a raison, Candy. Ce chien n'peut même plus rien faire pour lui-même. Si je deviens vieux et infirme, j'voudrais que quelqu'un me foute un coup de fusil.

Candy le regarda d'un œil désespéré, parce que les paroles de Slim avaient force de loi.

— Ça lui fera peut-être mal, suggéra-t-il. Ça n'm'ennuie pas de prendre soin de lui.

Carlson dit :

— De la façon que je le tuerai, il ne sentira rien. Je mettrai le fusil, juste ici — il montra du bout de son pied — droit dans la nuque. Il aura même pas un frisson.

Candy cherchait du secours sur chaque visage, l'un après l'autre. Un jeune ouvrier agricole entra. Il courbait ses épaules tombantes, et il marchait lourdement sur les talons, comme s'il portait l'invisible sac de grains. Il se dirigea vers son lit et posa son chapeau sur l'étagère. Ensuite, il prit sur l'étagère un magazine qu'il apporta sous la lumière, au-dessus de la table.

— Est-ce que je t'ai montré ça, Slim ? demanda-t-il.

— Montré quoi ?

Le jeune homme chercha à la fin du magazine, le posa sur la table et montra du doigt.

— Ici, lis ça.

Slim se pencha.

— Allons, dit le jeune homme, lis à haute voix.

— « Cher Éditeur. » Slim lisait lentement. « Je lis votre magazine depuis six ans, et je trouve que c'est le meilleur sur le marché. J'aime les histoires de Peter Rand. Je trouve qu'il est épatant. Donnez-nous-en d'autres comme le *Cavalier Noir*. J'écris pas souvent des lettres. Il m'est seulement venu à l'idée de vous dire que votre magazine, c'est ce qu'on peut acheter de mieux pour dix *cents*. »

Slim leva les yeux d'un air interrogateur.

— Pourquoi que tu veux que je lise ça ?

Whit dit :

— Continue. Lis le nom en bas.

Slim lut :

— « En vous souhaitant bonne chance, Votre, William Tenner. »

De nouveau il regarda Whit.

— Pourquoi que tu veux que je lise ça ?

Whit ferma le magazine avec dignité.

— Tu te rappelles pas Bill Tenner ? Il travaillait ici, y a environ trois mois.

Slim réfléchit...

— Un petit gars ? demanda-t-il. Il menait un scarificateur ?

— C'est ça, s'écria Whit. C'est bien lui.

— Tu crois que c'est lui qui a écrit la lettre ?

— J'le sais. Bill et moi, on était ici un jour. Bill avait un des numéros qui venait juste de paraître. Il y regardait et il a dit : « J'ai écrit une lettre. J'me demande s'ils l'ont mise dans ce numéro. » Mais elle n'y était pas. Bill a dit : « Peut-être qu'ils la gardent pour plus tard. » Et c'est justement ce qu'ils ont fait. La v'là.

— Tu dois avoir raison, dit Slim. Elle a bien paru en effet.

George tendit la main pour s'emparer du magazine.

— Fais un peu voir.

Whit retrouva l'endroit, mais il ne laissa personne s'en saisir. Il montra la lettre avec l'index. Puis il alla poser soigneusement le magazine sur la planche de sa caisse.

— J'me demande si Bill l'a vue, dit-il. Bill et moi, on travaillait au champ de pois. On conduisait les scarificateurs, tous les deux. Bill était un brave bougre.

Carlson ne s'était pas laissé distraire par la conversation. Il continuait à regarder le vieux chien. Candy l'observait, mal à l'aise. À la fin, Carlson dit :

— Si tu veux, j'le soulagerai de ses peines à l'instant même, le pauvre diable. On n'en parlera plus. Il ne lui reste plus rien. Il peut pas manger, il peut pas voir, il peut même pas marcher sans que ça lui fasse mal.

Candy dit avec un peu d'espoir.

— T'as pas de fusil.

— Avec ça. J'ai un Luger. Ça ne lui fera pas mal.

Candy dit :

— Demain, peut-être. Attendons à demain.

— J'vois pas de raison, dit Carlson.

Il se dirigea vers son lit, tira son sac qui se trouvait dessous, et en sortit un pistolet Luger.

— Finissons-en, dit-il. On ne pourra pas dormir avec cette puanteur autour de nous.

Il fourra le pistolet dans sa poche de derrière.

Candy regarda longuement Slim dans l'espoir qu'il soulèverait quelque objection. Et Slim n'en fit aucune. Candy, découragé, finit par dire, doucement :

— Alors, c'est bon... Emmène-le.

Il n'abaissa même pas ses regards vers le chien. Il s'étendit sur son lit, croisa les bras derrière la tête et contempla le plafond.

Carlson sortit une petite courroie de sa poche. Il se pencha et la passa autour du cou du chien. Tous les hommes, sauf Candy, le regardaient.

— Viens, viens, mon vieux, dit-il doucement.

Et, en manière d'excuse, il dit à Candy :

— Il ne le sentira même pas.

Candy resta immobile et ne répondit rien. Il tordit la courroie.

— Allons, viens.

Le vieux chien se leva avec effort et suivit, d'un pas raide, la laisse qui le tirait doucement.

Slim dit :

— Carlson.

— Oui ?

— Tu sais ce que t'as à faire.

— Que veux-tu dire, Slim ?

— Prends une bêche, dit Slim brièvement.

— Oh ! bien sûr, j'comprends.

Il fit sortir le chien dans l'obscurité.

George les suivit jusqu'à la porte qu'il ferma, et, doucement, il mit le loquet en place. Candy, tout raide sur son lit, contemplait le plafond.

Slim dit à haute voix :

— Une de mes mules de flèche a un sabot malade. Faudra que j'y mette du goudron.

Sa voix traîna et s'évanouit. Le silence régnait au-dehors. Les pas de Carlson s'effacèrent. Le silence emplit la chambre et le silence se prolongea.

George ricana :

— J'parie que Lennie est là-bas, dans l'écurie, avec son petit chien. Maintenant qu'il a un chiot, il n'va plus vouloir venir ici.

Slim dit :

— Candy, tu peux avoir tous les petits chiens que tu voudras.

Candy ne répondit pas. Le silence retomba dans la chambre. Il venait de la nuit et il envahissait la chambre. George dit :

— Y a-t-il quelqu'un qui voudrait jouer à l'euchre* ?

---

* Sorte de jeu de cartes.

— J'ferai bien quelques parties avec toi, dit Whit.

Ils s'assirent l'un en face de l'autre, à la table, sous la lampe, mais George ne battit pas les cartes. Il feuilletait les bords du paquet, nerveusement, et le petit claquement attira les regards de tous les hommes dans la chambre et le fit cesser. Le silence retomba dans la chambre. Une minute s'écoula, puis une autre minute. Candy, étendu, immobile, contemplait le plafond ; Slim le regarda un moment, puis examina ses mains. Il couvrit l'une avec l'autre et la maintint immobile. Ensuite, on entendit un grignotement sous la porte, et tous les hommes baissèrent les yeux avec reconnaissance. Seul, Candy contemplait toujours le plafond.

— On dirait qu'il y a un rat, là-dessous, dit George. Faudrait mettre un piège.

Whit éclata :

— Nom de Dieu, pourquoi donc qu'il lui faut si longtemps ? Pourquoi que tu n'donnes pas les cartes ? C'est pas comme ça que nous jouerons à l'euchre.

George mit les cartes en paquet serré et en contempla le dos. Le silence, de nouveau, avait envahi la chambre.

Une détonation retentit dans le lointain. Les hommes regardèrent rapidement le vieux. Toutes les têtes se tournèrent vers lui.

Pendant un moment, il resta à contempler le plafond. Puis il se tourna lentement sur le côté, face au mur, et resta silencieux.

George battit les cartes bruyamment et donna. Whit tira à lui une planche à marquer et disposa les fiches. Whit dit :

— J'suppose que vous venez réellement pour travailler, tous les deux ?

— Qu'est-ce que tu veux dire ? demanda George.

Whit se mit à rire.

— Ben, vous vous amenez un vendredi. Vous avez deux jours à travailler avant dimanche.

— J'vois pas comment tu calcules, dit George.

Whit se remit à rire.

— Tu le verrais si t'avais longtemps vécu dans ces grands ranches. Un type qui veut se rendre compte d'un ranch s'amène le samedi après-midi. Il reçoit son souper du samedi, et trois repas le dimanche, et il peut foutre le camp le lundi après le premier déjeuner, sans avoir remué la main. Mais, vous, vous arrivez travailler le vendredi à midi. Faudra donc que vous travailliez un jour et demi quelle que soit vot' façon de calculer.

George le regarda bien en face.

— Nous allons rester quelque temps, dit-il. Moi et Lennie, on veut se faire un peu d'argent.

La porte s'ouvrit doucement et le palefrenier passa la tête ; une mince tête de nègre, où la douleur avait laissé ses marques, et des yeux patients.

— Monsieur Slim.

Slim, qui regardait toujours le vieux Candy, tourna les yeux.

— Hein ? Oh ! Bonsoir, Crooks. Qu'est-ce qu'il y a ?

— Vous m'avez dit de faire chauffer du goudron pour le pied de votre mule. Il est chaud.

— Oh ! en effet, Crooks. J'vais aller l'appliquer tout de suite.

— J'peux le faire si vous voulez, monsieur Slim.

— Non, je le ferai moi-même.

Il se leva.

Crooks dit :

— Monsieur Slim.

— Oui.

— Y a le grand type, le nouveau, il tripote vos petits chiens, dans l'écurie.

— Bon, il ne leur fait pas de mal. J'lui en ai donné un de ces petits chiens.

— J'voulais simplement vous dire, dit Crooks. Il les sort de leur caisse et il les manipule. Ça ne leur fera pas de bien.

— Ça n'leur fera pas de mal, dit Slim. J'vais aller avec toi.

George leva les yeux.

— Si ce grand couillon y va trop fort, fous-le dehors, Slim.

Slim sortit avec le palefrenier.

George donna et Whit ramassa ses cartes et les examina.

— T'as déjà vu la petite ? demanda-t-il.

— Quelle petite ? demanda George.

— Ben, la nouvelle femme à Curley.

— Oui, je l'ai vue.

— Alors, elle se pose pas là ?

— J'l'ai point assez vue, dit George.

Whit déposa ses cartes d'un geste impressionnant.

— Ben, t'as qu'à rester quelque temps et ouvrir les yeux. Tu verras quelque chose. Elle ne cache rien. J'ai jamais rien vu de pareil. Elle passe son temps à faire de l'œil à tout le monde. J'parierais qu'elle fait de l'œil même au palefrenier. Du diable si je sais de quoi elle a envie.

George demanda d'un air indifférent :

— Y a pas eu de grabuge depuis qu'elle est ici ?

Il était évident que Whit ne s'intéressait pas à ses cartes. Il abattit sa main, et George remit les cartes dans le paquet. George éclata sa réussite ordinaire — sept cartes, six par-dessus, et cinq par-dessus le tout.

Whit dit :

— J'vois ce que tu veux dire. Non, il n's'est encore rien passé. Curley a, comme qui dirait, un nid de frelons dans ses culottes, jusqu'à présent, c'est tout. Chaque fois qu'il y a un gars ici, elle s'amène. Elle cherche Curley, ou bien elle croyait qu'elle avait oublié quelque chose et elle venait le chercher. À ce qu'on dirait, elle n'peut pas s'éloigner des hommes. Et Curley a des fourmis plein ses culottes, mais, jusqu'à présent, il ne s'est rien passé.

George dit :

— Ça fera du vilain. Sûr qu'il se passera du vilain autour d'elle. C'est un piège tout tendu pour ceux qu'aiment la prison. Le Curley a son travail tout préparé. Un ranch avec un tas de types, c'est pas un endroit pour une femme, surtout une comme ça.

Whit dit :

— Si t'as des idées, tu devrais venir en ville avec nous, demain soir.

— Pourquoi ? qu'est-ce qui s'y passe ?

— Comme à l'ordinaire. On va chez la vieille Suzy. C'est une chic maison. La vieille Suzy est tordante... toujours quelque blague à raconter. Comme elle a dit, quand on est arrivé sous la véranda, samedi dernier : Suzy ouvre la porte, et puis elle gueule par-dessus son épaule : « Allons, mesdames, mettez vos manteaux, v'là le shérif. » Elle n'est jamais grossière, non plus. Elle a cinq femmes chez elle.

— Combien que ça coûte ? demanda George.

— Deux dollars et demi. On peut boire un verre pour vingt-cinq *cents*. Suzy a de bons fauteuils pour s'asseoir aussi. Si un type veut pas coucher, il peut s'asseoir dans les fauteuils et boire deux ou trois verres et passer le temps, et Suzy s'en fout. Elle n'vous bouscule pas, et elle n'vous fout pas dehors si on n'veut pas coucher.

— J'irai peut-être bien y jeter un coup d'œil, dit George.

— Bien sûr, t'auras qu'à venir. J't'assure qu'on rigole... avec elle qui passe son temps à raconter des blagues. Comme elle a dit un jour : « J'connais des gens, s'ils ont un tapis sur leur plancher et une lampe à fanfreluches sur leur phono, ils s'figurent qu'ils tiennent un salon. » C'est de la maison à Clara qu'elle parle. Et Suzy dit : « Moi, j'sais ce que vous voulez, les gars. Mes femmes sont saines, qu'elle dit, et y a pas d'eau dans mon whiskey non plus, qu'elle dit. Si y en a parmi vous qu'aiment regarder une lampe à fanfreluches et courir le risque de se faire échauder, ben, j'sais où qu'ils peuvent aller. » Et elle dit : « Y a des gars par ici qui s'baladent avec les jambes en manches de veste parce que ça leur plaît de regarder une lampe à fanfreluches. »

George dit :

— Clara tient l'autre maison, hé ?

— Oui, dit Whit. Nous y allons jamais. Chez Clara on paie trois dollars le coup et trente-cinq *cents* le verre, et puis elle n'raconte pas de blagues. Mais, chez Suzy, c'est propre et y a de bons fauteuils. Et, en plus, elle n'laisse pas entrer les Malais.

— Lennie et moi, on veut se faire un magot, dit George. J'irai peut-être m'asseoir et boire un verre, mais je dépenserai pas deux dollars et demi.

— Faut bien qu'on s'amuse des fois, dit Whit.

La porte s'ouvrit et Lennie et Carlson entrèrent ensemble. Lennie alla s'asseoir sur son lit en s'efforçant de ne pas attirer l'attention. Carlson se pencha et tira son sac de dessous son lit. Il ne regarda pas le vieux Candy qui était toujours tourné vers le mur. Carlson sortit de son sac une petite baguette à nettoyer et une bouteille d'huile. Il les déposa sur son lit puis il prit le pistolet, sortit le magasin et fit tomber les balles. Il se mit ensuite à nettoyer le canon avec la petite baguette. En entendant le déclic de l'éjecteur, Candy se tourna et regarda l'arme un instant avant de se retourner face au mur.

Carlson dit incidemment :

— Curley n'est pas encore venu ?

— Non, dit Whit. Qu'est-ce qui le ronge, Curley ?

Carlson, l'œil cligné, regardait dans le canon de son pistolet.

— Il cherche sa bourgeoise. Je l'ai vu dehors en train de fouiner dans tous les coins.

Whit dit ironiquement :

— Il passe la moitié de son temps à la chercher, et, le reste du temps, c'est elle qui le cherche.

Curley, très agité, entra dans la chambre.

— Vous avez pas vu ma femme, des fois, les gars ? demanda-t-il.

— Elle n'est point venue ici, dit Whit.

Curley inspecta la salle d'un air menaçant.

— Où diable est Slim ?

— Il est allé à l'écurie, dit George. Il est allé mettre du goudron sur un sabot fendu.

Curley abaissa les épaules et bomba le torse.

— Y a combien de temps ?

— Cinq... dix minutes.

Curley bondit vers la porte qu'il fit claquer derrière lui.

Whit se leva.

— M'est avis que j'aimerais bien voir ça, dit-il. Curley baisse, sans quoi, il se frotterait pas à Slim. Et Curley est habile, bougrement habile. Il a boxé dans les finales pour les Gants d'Or. Il a des coupures de journaux là-dessus.

Il réfléchit.

— Mais quand même, il ferait mieux de laisser Slim tranquille. On n'sait jamais ce que Slim peut faire.

— Il croit que Slim est avec sa femme, pas vrai ? dit George.

— Ça en a tout l'air, dit Whit. Naturellement, Slim n'est pas avec elle. Du moins, j'crois pas. Mais, si ça s'gâte, j'aimerais bien voir ça. Venez, allons-y.

George dit :

— Moi, j'reste ici. J'veux pas être mêlé à ces histoires-là. Lennie et moi, on veut gagner du pèze.

Carlson acheva le nettoyage de son pistolet, le remit dans le sac et poussa le sac sous le lit.

— M'est avis que je vais aller y jeter un coup d'œil, dit-il.

Le vieux Candy ne bougeait pas, et Lennie, de son lit, surveillait George prudemment.

Quand Whit et Carlson furent partis et que la porte se fut refermée derrière eux, George se tourna vers Lennie.

— Qu'est-ce que t'as dans l'idée ?

— Rien, George. Slim dit qu'il vaut mieux que j'caresse pas tant les petits chiens pendant quelques jours. Slim dit que c'est pas bon pour eux. Alors, j'suis tout de suite revenu. J'ai été sage, George.

— J'aurais pu te dire ça moi-même, dit George.

— Oh ! j'leur faisais pas de mal. J'avais le mien sur mes genoux et j'le caressais, c'est tout.

George demanda :

— As-tu vu Slim dans l'écurie ?

— Pour sûr que je l'ai vu. Il m'a dit que j'ferais mieux d'plus caresser mon petit chien.

— As-tu vu cette femme ?

— Tu veux dire la femme à Curley ?

— Oui. Est-ce qu'elle est venue à l'écurie ?

— Non. En tout cas, j'l'ai pas vue.

— T'as pas vu Slim lui parler ?

— Non. Elle est pas venue à l'écurie.

— Ça va, dit George. Probable qu'ils ne verront pas de bataille. S'ils se battent, Lennie, t'en mêle pas.

— J'veux point me battre, dit Lennie.

Il se leva de son lit et s'assit à la table en face de George. George battit les cartes presque automatiquement et recommença sa réussite. Il agissait avec une lenteur délibérée, réfléchie.

Lennie avança la main, prit une figure et l'examina. Puis il la changea de bout et l'examina de nouveau.

— Les deux bouts sont pareils, dit-il. George, pourquoi c'est-il que les deux bouts sont pareils ?

— J'sais pas, dit George. C'est comme ça qu'on les fait. Qu'est-ce qu'il faisait, Slim, dans l'écurie, quand tu l'as vu ?

— Slim ?

— Oui. Tu l'as vu dans l'écurie, et il t'a dit de n'pas tant tripoter les petits chiens.

— Oh ! oui. Il avait un pot de goudron et un pinceau. J'sais pas pour quoi faire.

— T'es sûr que cette femme n'est pas entrée, comme elle est entrée ici, aujourd'hui ?

— Non, elle n'est pas entrée.

George soupira.

— Parlez-moi d'un bon bordel, dit-il. On peut y aller se soûler et se soulager le système tout à la fois, et pas de complications. Et puis, en plus, on sait combien que ça vous coûtera. Tandis que ces pièges-là, c'est toujours prêt à vous faire foutre en tôle.

Lennie suivait ces paroles avec admiration, et il remuait un peu les lèvres pour être sûr de ne pas perdre le fil. George continua.

— Tu te rappelles Andy Cushman, Lennie ? Qu'allait à l'école primaire ?

— Celui dont la mère faisait des crêpes pour les gosses ? demanda Lennie.

— Oui. C'est ça. Tu te rappelles toujours quand il y a quelque chose à bouffer.

George examinait soigneusement sa réussite. Il mit un as sur la rangée finale et y posa un deux, un trois et un quatre de carreau.

— Andy est à San Quentin* en ce moment, à cause d'une poule, dit George.

---

* Prison près de San Francisco.

Lennie pianota sur la table.

— George ?

— Quoi ?

— George, dans combien de temps c'est-il qu'on aura cette petite maison où qu'on vivra comme des rentiers... et des lapins ?

— J'sais pas, dit George. Faut d'abord qu'on ramasse du pèze. J'connais un petit endroit qu'on pourrait avoir pour pas cher, mais on n'le donnerait pas pour rien.

Lentement, le vieux Candy se retourna. Il avait les yeux grands ouverts. Il observait George attentivement.

Lennie dit :

— Parle-moi de cet endroit, George.

— Je t'en ai parlé, pas plus tard qu'hier soir.

— Allons... dis-moi encore, George.

— Ben, y a cinq hectares, dit George. Y a un petit moulin à vent, une petite maison et un poulailler. Y a une cuisine, un verger, des cerises, des pommes, des abricots, des noix, quelques fraises. Y a un coin pour la luzerne, et de l'eau tant qu'on en veut pour l'arroser. Y a un toit à cochons...

— Et des lapins, George.

— Y a pas de lapins pour le moment, mais j'pourrai facilement construire quelques clapiers, et tu pourras donner de la luzerne aux lapins.

— Tu parles que j'pourrai.

Les mains de George cessèrent de manier les cartes. Sa voix se fit plus intense.

— Et nous pourrions avoir quelques cochons. J'pourrais construire un fumoir, comme celui qu'avait grand-père, et, quand on tuerait le cochon, on pourrait fumer le lard et le jambon, et faire du boudin et un tas d'autres choses. Et quand le saumon remonterait la rivière, on pourrait en attraper un cent et les saler et les fumer. On pourrait en manger au premier déjeuner. Y a rien de meilleur que le saumon fumé. À la saison des fruits, on pourrait faire des conserves... les tomates, c'est facile à mettre en conserve. Tous les dimanches, on tuerait un poulet ou un lapin. Peut-être bien qu'on aurait une vache ou une chèvre, et de la crème si épaisse qu'il faudrait la couper au couteau et la prendre avec une cuillère.

Lennie le regardait, les yeux écarquillés, et le vieux Candy le regardait aussi. Lennie dit doucement :

— On vivrait comme des rentiers.

— Pour sûr, dit George. Un tas de légumes dans le jardin, et, si on voulait un peu de whiskey, on n'aurait qu'à vendre quelques œufs ou quelque chose, ou du lait. C'est là qu'on habiterait. Ça serait notre chez-nous. Y aurait plus besoin de courir le pays et de se faire nourrir par un cuisinier japonais. Non, non, nous aurions notre propre maison qui serait à nous, et on ne dormirait plus dans une chambrée.

— Parle-moi de la maison, George, supplia Lennie.

— Oui, on aurait une petite maison et une chambre pour nous autres. Un petit poêle en fonte tout rond, et, l'hiver, on y entretiendrait le feu. Y aurait pas assez de terre pour qu'on soit obligé de travailler trop fort. Six à sept heures par jour, peut-être bien. On aurait pas à charger de l'orge onze heures par jour. Et, quand on planterait une récolte, on serait là pour la récolter. On verrait le résultat de nos plantations.

— Et des lapins, dit Lennie ardemment. Et c'est moi qui les soignerais. Dis-moi comment que je ferais, George.

— Bien sûr, t'irais dans le champ de luzerne avec un sac. Tu remplirais le sac et tu l'apporterais dans les cages aux lapins.

— Et ils brouteraient, ils brouteraient, dit Lennie, comme ils font, tu sais. J'les ai vus.

— Toutes les six semaines, à peu près, continua George, y en aurait qui feraient des petits. Comme ça, on aurait des tas de lapins à manger ou à vendre. Et nous garderions quelques pigeons pour voler autour du moulin, comme ils faisaient quand j'étais gosse.

Fasciné, il regarda le mur au-dessus de la tête de Lennie.

— Et ça serait à nous, et personne n'pourrait nous foutre dehors. Et si on n'aimait pas un type, on lui dirait : « Fous le camp », et il faudrait qu'il le fasse, nom de Dieu. Et si un ami s'amenait, on aurait un lit de réserve, et on lui dirait : « Pourquoi que tu restes pas à passer la nuit ? » Et, bon Dieu, il le ferait. On aurait un setter et deux ou trois chats tigrés, mais faudra que tu fasses attention à ce que ces chats n'attrapent pas les petits lapins.

Lennie respirait fortement.

— Qu'ils essaient de les attraper, les lapins, j'leur casserais les reins, nom de Dieu. J'les... j'les écrabouillerais à coups de bâton.

Il se calma, grognant en dedans, menaçant les chats futurs qui oseraient déranger les futurs lapins.

George était assis, médusé par sa propre vision.

Quand Candy parla, tous les deux sursautèrent comme s'ils s'étaient laissé prendre en faute. Candy dit :

— Tu sais où il y a un endroit comme ça ?

George se mit tout de suite sur la défensive.

— Et quand bien même que je le saurais ? dit-il. Qu'est-ce que ça peut te faire ?

— T'as pas besoin de me dire où que c'est. Ça pourrait être n'importe où.

— Certainement, dit George. C'est vrai. T'y mettrais cent ans que tu n'pourrais pas l'trouver.

Candy reprit, très agité.

— Combien qu'on demande pour un endroit comme ça ?

George le regardait soupçonneux :

— Ben... j'pourrais l'avoir pour six cents dollars. Les vieux types qui y habitent sont fauchés, et la vieille a besoin d'une opération. Dis... qu'est-ce que ça peut bien te foutre ? Nos affaires, ça n'te regarde pas.

Candy dit :

— J'suis pas bon à grand-chose, avec une seule main. J'ai perdu ma main ici même, dans ce ranch. C'est pour ça qu'on me donne toutes les petites besognes. Et on m'a donné deux cent cinquante dollars parce que j'avais perdu ma main. Et j'en ai cinquante de plus en dépôt à la banque, à l'heure qu'il est. Ça fait trois cents, et, à la fin du mois, j'en aurai cinquante de plus. J'vas vous dire... — Il se pencha ardemment : — Si j'me joignais à vous, les gars ? Ça ferait trois cent cinquante dollars que j'pourrais y mettre. J'suis pas bon à grand-chose, mais je peux faire la cuisine, et soigner les poulets, et piocher un peu le jardin. Qu'est-ce que vous en dites ?

George ferma les yeux à demi.

— Faut que je réfléchisse. On avait toujours pensé faire ça ensemble, rien que nous deux.

Candy l'interrompit :

— J'ferais un testament, et j'vous laisserais ma part au cas que je crèverais, parce que j'ai pas de parents, rien. Vous avez de l'argent, vous autres ? On pourrait peut-être s'arranger tout de suite.

George cracha par terre d'un air dégoûté.

— Nous avons dix dollars à nous deux.

Il ajouta, pensif :

— Écoute, si moi et Lennie on travaille un mois sans rien dépenser, ça nous fera cent dollars. Ça ferait quatre cent cinquante. J'parie qu'on pourrait l'avoir pour ce prix-là. Alors, toi et Lennie, vous pourriez commencer à l'arranger, et moi, je me trouverais un emploi pour payer le reste, et vous pourriez vendre des œufs et des trucs comme ça.

Ils restèrent silencieux. Ils se regardaient les uns les autres, étonnés. Cette chose, qu'ils n'avaient jamais vraiment crue, était sur le point de se réaliser. George dit avec componction :

— Nom de Dieu ! J'parie qu'on pourrait l'avoir.

L'émerveillement emplissait ses yeux.

— J'parie qu'on pourrait l'avoir, répéta-t-il doucement.

Candy s'assit sur le bord de son lit. Il gratta nerveusement son poignet mutilé.

— Je me suis blessé, il y a quatre ans, dit-il. Bientôt, on me foutra dehors. Sitôt que je pourrai plus balayer une chambre, on m'enverra à la charge du comté. Peut-être bien que si je vous donnais mon argent, à vous autres, vous m'laisseriez piocher vot'jardin, même après que j'pourrais plus très bien le faire. Et je laverais la vaisselle, et d'autres petites choses comme ça. Mais je serais chez nous, et on me laisserait travailler chez nous.

Il dit misérablement :

— Vous avez vu ce qu'ils ont fait à mon chien, ce soir ? Ils disaient qu'il n'était plus bon pour personne même pas pour lui-même. Quand on m'foutra dehors, je voudrais que quelqu'un m'envoie un coup de fusil. Mais ils ne feront point ça. J'aurai nulle part où aller, et j'pourrai plus trouver de travail. J'aurai trente dollars de plus quand vous serez prêts à partir.

George se leva.

— On le fera, dit-il. On l'arrangera cette bonne vieille maison, et on ira y habiter.

Il se rassit. Ils étaient tous assis, immobiles, hypnotisés par la beauté de la chose, l'esprit tendu vers le futur, quand cette chose adorable viendrait à se réaliser.

George dit, spéculatif :

— Supposez qu'il y ait une fête, ou qu'un cirque vienne en ville, ou un match de base-ball, n'importe quoi.

Le vieux Candy opina à cette idée.

— Ben, on irait, dit George. On demanderait la permission à personne. On dirait simplement : « Allons-y », et on irait. On se contenterait de traire la vache, de jeter un peu de grain aux poulets, et on irait.

— Et de donner de l'herbe aux lapins, intervint Lennie. J'oublierais jamais de les nourrir. Quand c'est-il qu'on va le faire, George ?

— Dans un mois. Dans un mois exactement. Tu sais ce que je vais faire ? J'vais écrire aux gens qui y habitent pour leur dire que nous l'achetons. Et Candy enverra cent dollars en versement.

— Pour sûr, dit Candy. Ils ont un bon poêle, là-bas ?

— Oui, ils ont un bon poêle, un poêle à charbon et à bois.

— J'emporterai mon petit chien, dit Lennie. Sacré nom, il se plaira, là-bas, tu parles, nom de Dieu !

Au-dehors, des voix s'approchaient. George dit rapidement :

— Ne dites rien à personne. Rien que nous trois et personne d'autre. Ils seraient capables de nous foutre à la porte pour nous empêcher d'avoir notre argent. Y a qu'à continuer comme si on devait charrier de l'orge toute notre vie, et puis, un beau jour, brusquement on recevra sa paie et on foutra le camp.

Lennie et Candy opinèrent en grimaçant de joie.

— Faut le dire à personne, murmura Lennie à soi-même.

Candy dit :

— George.

— Oui ?

— C'est moi qu'aurais dû tuer mon chien, George. J'aurais pas dû laisser un étranger tuer mon chien.

La porte s'ouvrit. Slim entra, suivi de Curley, de Carlson

et de Whit. Slim avait les mains noires de goudron et il était furieux. Curley était collé à son coude.

Curley dit :

— J'voulais pas t'offenser, Slim. J'te demandais simplement.

Slim dit :

— Ben, tu m'as demandé trop souvent. J'en ai plein le dos. Si tu n'peux pas surveiller ta sacrée femme, qu'est-ce que tu veux que j'y fasse ? Fous-moi la paix.

— J'm'efforce de te dire que j'voulais pas t'offenser, dit Curley. J'pensais seulement que tu l'avais peut-être vue.

— Pourquoi que tu ne lui dis pas de rester chez elle, là où elle devrait être ? dit Carlson. Laisse-la traîner comme ça autour des chambrées, et, dans pas longtemps, t'auras quelque affaire sur les bras, et puis tu pourras rien y faire.

Curley se retourna d'un bond vers Carlson.

— Toi, te mêle pas de ça si tu ne veux pas prendre la porte.

Carlson rit :

— Bougre de salaud, dit-il. T'as essayé de foutre la trouille à Slim, mais ça n'a pas marché. C'est Slim qui te l'a foutue, la trouille. T'as autant de courage qu'un lapin. J'me fous pas mal que tu sois le meilleur boxeur du pays. T'as qu'à venir te frotter à moi, et je te la ferai valser ta sacrée sale gueule.

Candy se joignit avec joie à l'attaque.

— Un gant plein de vaseline, dit-il avec dégoût.

Curley le fulmina du regard. Ses yeux allèrent alors se poser sur Lennie qui souriait toujours, ravi à l'idée de son ranch. Curley s'approcha de Lennie comme un terrier.

— Qu'est-ce que t'as à rire ?

Lennie le regarda ahuri.

— Hein ?

Alors Curley explosa de rage :

— Amène-toi ici, gros enfant de putain. Mets-toi debout. Il sera pas dit qu'un gros enfant de putain comme toi aura rigolé de moi. J't'apprendrai, moi, qui c'est qui a peur.

Lennie, désemparé, regardait George, puis il se leva et chercha à reculer. Curley s'était mis en position. Il décocha à Lennie un coup de son poing gauche, puis lui écrasa le nez avec le droit. Lennie poussa un cri de terreur. Le sang lui jaillit des narines.

— George, cria-t-il, dis-lui de m'laisser tranquille, George.

Il recula jusqu'au mur, et Curley le suivit en le frappant au visage. Lennie gardait ses mains à ses côtés; il avait trop peur pour se défendre lui-même.

George, debout, hurlait :

— Vas-y, Lennie, le laisse pas faire.

Lennie se couvrit le visage de ses grosses pattes. Il gémissait de terreur. Il s'écria :

— Fais-le cesser, George.

Curley le frappa alors au creux de l'estomac et lui coupa la respiration.

Slim bondit :

— La sale petite vache! cria-t-il. C'est moi qui vais m'en charger.

George étendit la main et retint Slim.

— Un instant! hurla-t-il.

Il mit ses mains en porte-voix autour de sa bouche et hurla :

— Vas-y, Lennie!

Lennie enleva ses mains de dessus sa figure et chercha à voir George. Curley le frappa dans les yeux. La large face fut inondée de sang. George hurla de nouveau :

— Vas-y, je t'ai dit.

Curley balançait le poing quand Lennie l'attrapa. Une minute plus tard, Curley s'écroulait, comme un poisson au bout d'une ligne, et son poing fermé était perdu dans la grosse main de Lennie. George traversa la chambre en courant.

— Lâche-le, Lennie, lâche-le.

Mais Lennie, terrifié, regardait s'écrouler le petit homme qu'il tenait. Le sang coulait sur la face de Lennie, un de ses yeux était écorché et fermé. George le gifla à plusieurs reprises, et Lennie tenait toujours le poing fermé, Curley, à ce moment-là, était blanc et tassé, et c'est à peine s'il se débattait. Il se contentait de crier, le poing perdu dans la patte de Lennie.

George hurlait sans cesse :

— Lâche-lui la main, Lennie ! Slim, viens m'aider pendant que le bougre a encore une main.

Brusquement, Lennie lâcha sa proie. Il alla se tapir contre le mur.

— Tu m'as dit de le faire, George, dit-il, misérable.

Assis par terre, Curley regardait avec étonnement sa main écrasée. Slim et Carlson se penchèrent sur lui. Puis Slim se redressa et regarda Lennie avec horreur.

— Faut le mener au docteur, dit-il. Il me fait l'effet d'avoir tous les os en miettes.

— J'voulais pas, cria Lennie. J'voulais pas lui faire de mal.

Slim dit :

— Carlson, va atteler la charrette. On va aller le faire panser à Soledad.

Carlson sortit en hâte, Slim se tourna vers Lennie qui larmoyait.

— C'est pas de ta faute, dit-il. Ça lui pendait au nez depuis longtemps, à ce salaud-là. Mais... nom de Dieu, il n'a plus de main, pour ainsi dire.

Slim sortit rapidement et revint avec un peu d'eau dans une tasse en fer. Il la porta aux lèvres de Curley.

George dit :

— Slim, est-ce qu'on va nous foutre à la porte ? Nous avons besoin d'argent. Est-ce que le père à Curley va nous foutre à la porte ?

Slim grimaça un sourire. Il s'agenouilla près de Curley.

— T'as assez repris tes sens maintenant pour écouter ? demanda-t-il.

Curley fit un signe affirmatif.

— Alors, écoute, continua Slim, je crois que tu t'es fait prendre la main dans une machine. Si tu ne dis à personne ce qui est arrivé, nous ne le dirons pas. Mais si tu parles et si tu tâches de faire renvoyer ce gars, nous raconterons l'affaire à tout le monde, et alors, ce qu'on se paiera ta gueule !

— J'dirai rien, dit Curley.

Il évitait de regarder Lennie.

Un bruit de roues se fit entendre au-dehors. Slim aida Curley à se lever.

— Allons, viens, Carlson va t'emmener chez le docteur.

Il aida Curley à sortir. Le bruit de roues s'éloigna. Un moment après, Slim revint dans la chambre. Il regarda Lennie qui était toujours tapi peureusement contre le mur.

— Fais voir tes mains, demanda-t-il.

Lennie tendit ses mains.

— Nom de Dieu, j'aimerais pas que tu te foutes en rogne après moi.

George intervint :

— C'est simplement que Lennie a pris peur, expliqua-t-il. Il n'savait pas quoi faire. J'te l'avais bien dit qu'il n'fallait pas se battre avec lui. Non, j'crois que c'est à Candy que je l'avais dit.

Candy approuva gravement.

— Exactement, dit-il. Pas plus tard que ce matin, la première fois que Curley s'en est pris à ton ami, t'as dit : « Il fera aussi bien d'pas se frotter à Lennie s'il sait ce qui est bon pour sa santé. » C'est ça exactement que tu m'as dit.

George se tourna vers Lennie :

— C'est pas de ta faute, dit-il. T'as plus besoin d'avoir peur. T'as fait juste ce que je t'avais dit de faire. Mais tu feras peut-être mieux d'aller te laver un peu la figure. T'as une sale gueule.

Lennie sourit de sa bouche endolorie.

— J'voulais pas d'embêtements, dit-il.

Il s'achemina vers la porte, mais, au moment d'y arriver, il se retourna :

— George ?

— Qu'est-ce que tu veux ?

— J'peux encore soigner les lapins, George ?

— Mais oui, t'as rien fait de mal.

— J'avais pas de mauvaise intention, George.

— Allons, fous le camp et va te laver la gueule.

4

Crooks, le palefrenier noir, logeait dans la sellerie, un petit hangar adossé au mur de l'écurie. D'un côté de la petite chambre, il y avait une fenêtre carrée à quatre vitres, et, de l'autre côté, une porte étroite qui donnait dans l'écurie. Le lit de Crooks consistait en une longue caisse remplie de paille, sur laquelle il étendait ses couvertures. Au mur, près de la fenêtre, il y avait des patères d'où pendaient des harnais brisés en réparation, des bandes de cuir neuf, et, sous la fenêtre même, un petit banc avec des outils de bourrelier, couteaux recourbés, aiguilles, pelotons de fil de lin, et un petit rivoir à main. Des pièces de harnachement pendaient aussi à des patères, un collier fendu, dont le rembourrage en crin s'échappait, une attelle cassée, et une rêne dont le revêtement de cuir avait craqué. Crooks avait sa caisse à pommes au-dessus de son lit, et il y conservait des rangées de médicaments, aussi bien pour lui que pour les chevaux. Il y avait des boîtes de savon pour l'entretien des selles, et un pot de goudron dégouttant, dont le manche du pinceau dépassait le bord. Un certain nombre d'objets personnels jonchaient le plancher ; car, vivant seul, Crooks pouvait laisser ses affaires traîner partout, et, étant palefrenier et infirme, il était plus permanent que les autres hommes, et il avait accumulé plus de choses qu'il n'aurait pu en porter sur son dos.

Crooks possédait plusieurs paires de souliers, une paire de bottes en caoutchouc, un gros réveille-matin et un fusil à un coup. Et il avait des livres également : un dictionnaire en loques, un exemplaire défraîchi du code civil californien de 1905, et quelques livres sales sur un rayon spécial au-dessus de son lit. Une paire de lunettes d'écaille pendait à un clou sur le mur, au-dessus du lit.

Cette chambre était balayée et assez propre, car Crooks était hautain et fier. Il gardait ses distances et entendait que les autres en fissent autant. Son corps penchait du côté gauche, à cause de sa colonne vertébrale déviée, et ses yeux enfoncés dans les orbites semblaient, en raison de leur profondeur, briller avec intensité. Son visage maigre était sillonné de profondes rides noires, et il avait des lèvres fines, douloureusement contractées, d'un ton plus clair que le reste de son visage.

C'était samedi soir. Par la porte ouverte qui donnait dans l'écurie, on entendait un bruit de chevaux qui s'agitaient, de pieds qui bougeaient, de dents broyant le foin, un ferraillement de licous. Dans la chambre du palefrenier, une petite lampe électrique jetait une maigre lueur jaune.

Crooks était assis sur son lit. Sa queue de chemise sortait de son pantalon. D'une main, il tenait une bouteille de liniment et, de l'autre, il se frottait l'épine dorsale. De temps en temps, il versait quelques gouttes du liniment dans la paume rose de sa main, et il se remettait à frotter, la main haut fourrée sous sa chemise. Il contractait les muscles de son dos et tressaillait.

Sans bruit, Lennie apparut sur le seuil de la porte ouverte, et il resta là, debout, à regarder, ses larges épaules emplissant presque toute l'ouverture. Crooks fut un moment sans le voir, mais, levant les yeux, il se raidit et son visage prit une expression contrariée. Il retira sa main de dessous sa chemise.

Décontenancé, Lennie souriait, dans son désir de se montrer cordial.

Crooks dit sèchement :

— T'as pas le droit de venir dans cette chambre. C'est ma chambre. Personne n'a le droit d'y venir, sauf moi.

Lennie avala sa salive et accentua son sourire de bon chien.

— J'fais rien, dit-il. J'suis juste venu voir mon chiot. Et j'ai vu qu'il y avait de la lumière, expliqua-t-il.

— Ben, j'ai bien le droit d'avoir de la lumière. Allons, sors de ma chambre. On n'veut pas de moi dans votre chambre, moi j'veux pas de vous dans la mienne.

— Pourquoi qu'on n'veut pas de toi ? dit Lennie.

— Parce que je suis noir. Ils jouent aux cartes, là-bas, mais moi, j'peux pas jouer parce que je suis noir. Ils disent que je pue. Ben, j'peux te le dire, pour moi, c'est vous tous qui puez.

Lennie, déconcerté, laissait pendre ses grosses mains.

— Tout le monde est allé en ville, dit-il. Slim, et George, et tout le monde. George a dit qu'il fallait que je reste ici et que je fasse pas de bêtises. J'ai vu qu'il y avait de la lumière.

— Et après, qu'est-ce que tu veux ?

— Rien... J'ai vu de la lumière. J'ai pensé que je pouvais entrer m'asseoir une minute.

Crooks dévisagea Lennie, et prit derrière lui les lunettes qu'il décrocha et ajusta sur ses oreilles roses. Puis il dévisagea Lennie de nouveau.

— Et puis, j'sais pas ce que tu viens faire dans l'écurie, dit-il en manière de protestation. T'es pas roulier. Les débardeurs n'ont rien à voir à l'écurie. T'es pas roulier. T'as rien à faire avec les chevaux.

— Le chien, répéta Lennie. J'suis venu voir mon petit chien.

— Eh ben, va le voir ton chien. Ne viens pas là où qu'on ne veut pas de toi.

Lennie perdit son sourire. Il fit un pas dans la chambre, puis, se rappelant, recula vers la porte.

— J'les ai regardés un peu. Slim dit qu'il faut pas que j'les caresse trop.

Crooks dit :

— T'as passé ton temps à les sortir de leur caisse. Ça m'étonne que la mère n'les ait pas emportés ailleurs.

— Oh ! ça lui est égal. Elle me laisse faire.

Lennie s'était de nouveau avancé dans la chambre.

Crooks fronça les sourcils, mais le sourire désarmant de Lennie eut raison de lui.

— Entre, et assieds-toi un moment, dit Crooks. À ce qu'il paraît, t'as pas envie de me laisser tranquille, alors autant t'asseoir.

Sa voix se faisait plus cordiale.

— Comme ça, tout le monde est parti en ville ?

— Tout le monde, sauf Candy. Il est là-bas, dans la chambrée, à tailler son crayon, à tailler et à compter.

Crooks consolida ses lunettes.

— À compter ? Qu'est-ce qu'il compte, Candy ?

Lennie cria presque :

— Au sujet des lapins.

— T'es dingo, dit Crooks, fou à lier. Qu'est-ce que tu veux dire avec tes lapins ?

— Les lapins qu'on va avoir, et c'est moi qui les soignerai, j'couperai de l'herbe, j'leur donnerai de l'eau, des choses comme ça.

— Un vrai dingo, dit Crooks. J'comprends que le type avec qui tu voyages aime autant n'pas t'avoir près de lui.

Lennie dit tranquillement :

— C'est pas de blague. On va l'avoir. On va avoir une petite ferme et on vivra comme des rentiers.

Crooks s'installa plus confortablement sur son lit.

— Assois-toi, proposa-t-il. Assois-toi sur le baril à clous.

Lennie se tassa sur le petit baril.

— Tu crois que c'est de la blague, dit Lennie. Mais c'est pas de la blague. Chaque mot est la vérité, t'as qu'à demander à George.

Crooks mit son menton noir dans sa paume rose.

— Tu voyages avec George, pas vrai ?

— Pour sûr, dit Lennie. Nous deux, on va partout ensemble.

— Des fois il parle, continua Crooks, et tu n'comprends rien à ce qu'il raconte. C'est pas vrai ?

Il se pencha, scrutant Lennie de ses yeux profonds.

— C'est pas vrai ?

— Oui... des fois.

— Et il continue à causer et tu n'comprends rien à ce qu'il raconte ?

— Oui... des fois. Mais... pas toujours.

Crooks se pencha sur le bord du lit.

— J'suis pas un nègre du Sud, dit-il. J'suis né ici même, en Californie. Mon père élevait des volailles. Il avait environ cinq hectares. Les gosses des blancs venaient jouer chez nous, et il y en avait qui étaient assez gentils. Mon père n'aimait pas ça. C'est que bien plus tard que j'ai compris pourquoi qu'il n'aimait pas ça. Mais, maintenant, je sais.

Il hésita, et quand il se remit à parler, sa voix était plus douce.

— Y avait pas une famille noire à plusieurs milles à la ronde. Et maintenant, y a pas un seul noir dans ce ranch, et il n'y a qu'une famille à Soledad.

Il se mit à rire.

— Si je dis quelque chose, ben, c'est juste un nègre qui parle.

Lennie demanda :

— Combien que tu crois qu'il faudra de temps avant que je puisse caresser ces petits chiens ?

Crooks se remit à rire :

— On peut te parler, on est sûr que t'iras pas répéter ce qu'on t'a dit. Dans une quinzaine, ces petits chiens seront assez grands. George sait ce qu'il raconte. Il parle, et toi, tu n'comprends pas un mot.

Il se pencha, très animé :

— C'est pas autre chose qu'un nègre qui parle, et un nègre qu'a le dos cassé. Par conséquent, ça ne veut rien dire, tu comprends ? De toute façon, tu te rappellerais pas. C'est pas une fois que j'ai vu ça, mais mille... un type qui parle avec un autre, et puis, ça n'a pas d'importance s'il n'entend pas ou s'il ne comprend pas. L'important c'est de parler, ou bien de rester tranquille, sans parler. Peu importe, peu importe.

Son agitation avait augmenté, et maintenant, il se martelait le genou avec sa main.

— George peut te dire un tas de conneries, et ça n'a pas d'importance. Ce qui compte, c'est parler. C'est être avec un autre. Voilà tout.

Il s'arrêta.

Sa voix se fit douce, persuasive.

— Suppose que George ne revienne pas. Suppose qu'il foute le camp et qu'il n'revienne pas. Qu'est-ce que tu ferais ?

Lennie, peu à peu, faisait attention à ce que l'autre lui disait :

— Quoi ? dit-il.

— Je dis, suppose que George est allé en ville ce soir et que t'entendes plus jamais parler de lui.

Crooks poussait une sorte de victoire personnelle.

— Imagine ça, simplement.

— Il ne fera pas ça, s'écria Lennie. George ne ferait pas

une chose pareille. Y a longtemps que je vis avec George. Il reviendra cette nuit...

Mais le doute était trop fort pour lui.

— Tu n'crois pas qu'il reviendra ?

Le visage de Crooks s'illuminait au plaisir qu'il éprouvait à torturer :

— On n'peut jamais savoir ce qu'un type peut faire, observa-t-il calmement. Disons qu'il veuille revenir et qu'il ne puisse pas. Suppose qu'il soit tué, ou blessé, et qu'il ne puisse pas revenir.

Lennie s'efforçait de comprendre.

— George ne ferait pas une chose pareille, répéta-t-il. George est prudent. Il s'fera pas blesser. Il ne s'est jamais blessé, parce qu'il est prudent.

— Enfin, une supposition, une supposition qu'il n'revienne pas, qu'est-ce que tu ferais ?

Le visage de Lennie se contracta sous l'appréhension.

— J'sais pas. Et puis, au fait, qu'est-ce que t'as dans l'idée ? s'écria-t-il. Ce n'est pas vrai. George n'est pas blessé.

Crooks insistait.

— Tu veux que je te dise ce qui arriverait ? On t'emmènerait à l'asile des dingos. Et là, on t'attacherait avec un collier, comme un chien.

Soudain, les yeux de Lennie se fixèrent avec une expression de rage froide. Il se leva et s'approcha dangereusement de Crooks.

— Qui est-ce qui a fait du mal à George ? demanda-t-il.

Crooks vit s'approcher le danger. Il se recula sur son lit pour se garer.

— Je supposais, simplement, dit-il. George n'a pas de mal. Il va très bien. Il va revenir, bien sûr.

Lennie était au-dessus de lui.

— Pourquoi que tu supposais ? J'veux pas que personne suppose que George puisse avoir du mal.

Crooks enleva ses lunettes et s'essuya les yeux avec ses doigts.

— Assois-toi, dit-il. George n'a pas de mal.

Lennie retourna s'asseoir sur son baril, en grondant.

— J'veux pas qu'on parle de faire du mal à George, grommela-t-il.

Crooks dit doucement :

— Maintenant, tu comprendras peut-être. Toi t'as George. Tu *sais* qu'il va revenir. Suppose que t'aies personne. Suppose que tu n'puisses pas aller dans une chambre jouer aux cartes parce que t'es un nègre ? Suppose que tu sois obligé de rester assis ici, à lire des livres. Bien sûr, tu pourrais jouer avec des fers à cheval jusqu'à la nuit, mais après, faudrait que tu rentres lire tes livres. Les livres, c'est bon à rien. Ce qu'il faut à un homme, c'est quelqu'un... quelqu'un près de lui.

— George va revenir, dit Lennie d'une voix effrayée, pour se rassurer. Peut-être bien que George est déjà revenu. Je ferais peut-être mieux d'aller voir.

Crooks dit :

— J'voulais pas te faire peur. Il reviendra. C'est de moi que je parlais. Imagine un type ici, tout seul, la nuit, à lire des livres peut-être bien, ou à penser, ou quelque chose comme ça. Des fois, il se met à penser et il n'a personne pour lui dire si c'est comme ça ou si c'est pas comme ça. Peut-être que s'il voit quelque chose, il n'sait pas si c'est vrai ou non. Il ne peut pas se tourner vers un autre pour lui demander s'il le voit aussi. Il n'peut pas savoir. Il a rien pour mesurer. J'ai vu des choses ici. J'étais pas soûl. J'sais pas si je dormais. Si j'avais eu quelqu'un avec moi, il aurait pu me dire si je dormais, et alors je n'y penserais plus. Mais j'sais pas.

Crooks regardait maintenant à l'autre bout de la chambre, vers la fenêtre.

Lennie dit, lamentablement :

— George ne s'en ira pas, il ne me laissera pas seul. J'sais bien que George n'ferait pas une chose pareille.

Le palefrenier continua rêveusement :

— Je m'rappelle quand j'étais gosse, dans la ferme à volailles de mon père. J'avais deux frères. Ils étaient toujours avec moi, toujours là. On dormait dans la même chambre, dans le même lit... tous les trois. On avait un carré de fraisiers, un coin de luzerne. Quand il y avait du soleil, le matin, on lâchait les poulets dans la luzerne. Mes frères plantaient un grillage autour et les regardaient... blancs qu'ils étaient, les poulets.

Peu à peu, Lennie s'intéressait à ce qu'il entendait.

— George a dit qu'on aurait de la luzerne pour les lapins.

— Quels lapins ?

— On aura des lapins et un carré de fraisiers.

— T'es dingo.

— Pas du tout, c'est vrai. Tu demanderas à George.

— T'es dingo, dit Crooks, méprisant. J'ai vu des centaines d'hommes passer sur les routes et dans les ranches, avec leur balluchon sur le dos et les mêmes bobards dans la tête. J'en ai vu des centaines. Ils viennent, et, le travail fini, ils s'en vont ; et chacun d'eux a son petit lopin de terre dans la tête. Mais y en a pas un qu'est foutu de le trouver. C'est comme le paradis. Tout le monde veut un petit bout de terrain. Je lis des tas de livres ici. Personne n'va jamais au ciel, et personne n'arrive jamais à avoir de la terre. C'est tout dans leur tête. Ils passent leur temps à en parler, mais c'est tout dans leur tête.

Il s'arrêta et regarda vers la porte ouverte, car les chevaux s'agitaient, inquiets, et les licous cliquetaient. Un cheval hennit.

— J'parie qu'il y a quelqu'un là-bas, dit Crooks. Peut-être

bien Slim. Des fois, Slim vient deux ou trois fois par nuit. C'est un vrai roulier, Slim. Il s'préoccupe de ses bêtes.

Il se mit péniblement debout, et s'approcha de la porte.

— C'est toi, Slim ? cria-t-il.

La voix de Candy répondit :

— Slim est allé en ville. Dis, t'as pas vu Lennie ?

— Le grand type tu veux dire ?

— Oui, tu l'as pas vu par là ?

— Il est ici, dit Crooks brièvement.

Il revint se coucher sur son lit.

Candy se tenait sur le pas de la porte et grattait son moignon, et il parcourait la chambre de ses yeux qu'aveuglait la lumière. Il n'essayait pas d'entrer.

— J'vais te dire, Lennie. J'ai calculé au sujet de ces lapins.

Crooks dit, irrité :

— Tu peux entrer si tu veux.

Candy semblait embarrassé :

— J'sais pas. Naturellement, si tu veux que j'entre.

— Entre donc. Si tout le monde entre, tu peux bien faire comme les autres.

Crooks parvenait mal à dissimuler son plaisir derrière de la colère. Candy entra, mais il était toujours embarrassé.

— C'est bien confortable ici, dit-il à Crooks. Ça doit être plaisant d'avoir une chambre comme ça, pour soi tout seul.

— Pour sûr, dit Crooks, et avec un tas de fumier sous la fenêtre. Sûr que c'est plaisant.

Lennie interrompit.

— T'as dit au sujet des lapins ?

Candy s'appuya au mur, près du collier cassé, et gratta son poignet mutilé.

— Y a longtemps que j'habite ici, dit-il. Et il y a longtemps que Crooks habite ici. C'est la première fois que je vois sa chambre.

Crooks dit sombrement :

— Les gars aiment pas beaucoup venir dans la chambre d'un noir. Y a que Slim qu'est venu ici. Slim et le patron.

Candy changea rapidement de sujet.

— Slim est un roulier comme y en a pas deux.

Lennie se pencha vers le vieux.

— Alors, et les lapins ? insista-t-il.

Candy sourit :

— J'ai tout calculé. On pourra faire de l'argent avec ces lapins si on sait s'y prendre.

— Mais c'est moi qui les soignerai, interrompit Lennie. George a dit que c'est moi qui les soignerai. Il a promis.

Crooks lui coupa brutalement la parole.

— Vous vous bourrez le crâne, les gars. Vous passez votre temps à en parler, mais vous ne l'aurez jamais, vot' terre. Tu resteras ici comme homme de corvée jusqu'à ce qu'on t'en sorte dans une boîte. Bon Dieu, j'en ai vu trop, des types comme vous. Lennie, là, il quittera le travail, et, dans deux ou trois semaines, il se retrouvera sur les routes. À ce qu'on dirait, tout le monde a un coin de terre dans la tête.

Candy se frottait la joue avec colère.

— Pour sûr, nom de Dieu, qu'on va le faire. George l'a dit. Nous avons déjà l'argent.

Georges l'a dit. Nous avons déjà l'argent.

— Ah oui ? dit Crooks. Et où est-il, George, en ce moment ? En ville, dans quelque bordel. C'est là qu'il s'en va vot' argent. Bon Dieu, j'ai vu ça arriver tant de fois. J'ai vu trop de gars avec de la terre dans la tête. Ils n'en trouvent jamais sous leur main.

Candy s'écria :

— Sûr que tout le monde en veut. Tout le monde veut un lopin de terre, pas beaucoup. Quelque chose qui est à vous, simplement. Quelque chose où qu'on peut vivre et d'où personne n'peut vous faire partir. J'en ai jamais eu. J'ai fait des récoltes pour tous les habitants de cet État, autant dire, mais c'étaient pas mes récoltes, et quand je les coupais, c'était pas ma moisson. Mais maintenant, nous allons le faire. George n'a pas l'argent sur lui. Cet argent est à la banque. Moi, et Lennie, et George. Nous aurons une chambre à nous. Nous aurons un chien, et des lapins et des poulets. Nous aurons du maïs vert, et peut-être bien une vache aussi, ou une chèvre.

Il s'arrêta, débordé par son tableau.

Crooks demanda :

— Tu dis que vous avez l'argent ?

— Comme tu le dis. La plus grande partie. Il ne nous en manque qu'un petit peu. On l'aura dans un mois. George a déjà choisi la terre.

Crooks tordit le bras et s'explora l'épine dorsale avec la main.

— J'ai jamais vu personne le faire, dit-il. J'ai connu des gars qu'étaient moitié fous de l'envie d'avoir une terre, mais, chaque fois, un bordel ou une partie de vingt et un leur prenaient ce qu'il leur fallait.

Il hésita :

— Si des fois... vous autres, vous aviez besoin de quelqu'un qui travaillerait pour rien, juste au pair, ben, j'irais vous donner un coup de main. J'suis pas infirme au point d'pas pouvoir travailler comme une brute si je veux.

— Dites, les gars, vous auriez pas vu Curley, l'un de vous ?

Ils tournèrent la tête vers la porte. La femme de Curley les regardait. Elle était fortement maquillée. Ses lèvres s'entrouvraient légèrement. Elle haletait comme si elle avait couru.

— Curley n'est point venu ici, dit Candy hargneusement.

Elle était toujours sur le seuil, leur souriant un peu, se frottant les ongles d'une main avec le pouce et l'index de l'autre. Et ses yeux se posaient successivement sur chacun d'eux.

— Ils ont laissé ici tous ceux qu'étaient pas forts, dit-elle enfin. Vous vous figurez que j'sais pas où ils sont allés. Même Curley, je sais où ils sont allés tous.

Lennie la regardait, fasciné, mais Candy et Crooks, mécontents, évitaient de rencontrer ses regards. Candy dit :

— Alors, si vous savez, pourquoi c'est-il que vous venez nous demander où qu'est Curley ?

Elle les regarda, amusée :

— C'est drôle, dit-elle, quand je trouve un homme et qu'il est seul, j' m'entends toujours avec lui. Mais, sitôt que vous êtes deux ensemble, on n'peut pas vous tirer une parole. Vous vous contentez de vous foutre en rogne.

Elle cessa de s'occuper de ses doigts et mit ses mains sur ses hanches.

— Vous avez tous peur les uns des autres, c'est pas autre chose. Vous avez tous peur que les autres aient quelque chose à raconter sur votre compte.

Au bout d'un instant, Crooks dit :

— Vous feriez peut-être mieux de rentrer chez vous. On n'veut pas avoir d'ennuis ici.

— Oh ! c'est pas moi qui vous ferai des ennuis. Vous croyez que j'aime pas causer à quelqu'un de temps en temps ? Vous croyez que j' m'amuse à rester toute la journée dans cette maison.

Candy posa son moignon sur son genou et le frotta doucement avec sa main. Il dit d'un ton de reproche :

— Vous avez un mari. Vous avez aucune raison d'aller tourner autour des hommes, pour qu'on ait des histoires.

La femme s'emporta :

— Sûr que j'ai un mari. Vous l'avez tous vu. Un type un peu là, hein ? Passe son temps à annoncer ce qu'il va faire aux gars qu'il n'aime pas, et il n'aime personne. Vous vous figurez que je vais rester dans cette maison de quatre sous à écouter comment Curley attaque du bras gauche et puis amène ce vieux coup droit ? Un, deux, qu'il dit, ce vieux un-deux, et v'là le type sur le dos.

Elle s'arrêta, et son visage, perdant son expression furieuse, manifesta de l'intérêt.

— À propos... qu'est-ce qui est arrivé à la main de Curley ?

Il y eut un silence embarrassé. Candy coula un regard vers Lennie. Puis il toussa.

— Ben... Curley... il s'est fait prendre la main dans une machine, madame. Il s'est écrasé la main.

Elle l'observa un moment puis éclata de rire :

— Des blagues ! Faut pas essayer de m'empiler. Curley a commencé quelque chose qu'il n'a pas pu finir. Pris dans une machine... des blagues ! En tout cas, depuis qu'il s'est fait écraser la main, il n'a plus donné le bon vieux un-deux à personne. Qui c'est-il qui l'a amoché ?

Candy répéta sourdement :

— Il se l'est fait prendre dans une machine.

— Ça va, dit-elle dédaigneusement, ça va. Défendez-le si ça vous fait plaisir. Qu'est-ce que vous voulez que ça me foute ? Regardez-moi ce tas de clochards, et ça se croit supérieur. Qu'est-ce que vous croyez que je suis, une môme ? Je vous le dis, j'aurais pu faire du théâtre si j'avais voulu. Et pas que dans un seul. Et un type m'a dit qu'il pourrait me faire faire du cinéma...

Elle suffoquait d'indignation :

— Le samedi soir, tout le monde fait quelque chose. Tout le monde ! Et moi, qu'est-ce que je fais ? J'suis là à causer avec un tas de clochards... un nègre, un piqué, et un vieux pouilleux de berger... et le comble, c'est que ça me plaît, parce qu'il n'y a personne d'autre.

Lennie la regardait, bouche bée. Crooks s'était abrité derrière cette terrible dignité protectrice des noirs. Mais le vieux Candy se transforma. Il se leva soudain et renversa son baril de clous.

— En v'là assez, dit-il furieux. On veut pas de vous ici. On vous l'a déjà dit. Et j'vous avertis, vous vous foutez dedans en ce qui nous concerne. Vous avez pas assez de sens dans votre petite cervelle de poulet pour voir qu'on est pas des clochards. Une supposition que vous nous fassiez foutre à la porte. Une supposition. Vous vous figurez qu'on va aller courir les routes à la recherche d'une autre sacrée place comme ça, à vingt-cinq *cents* ? Vous n'savez pas que nous avons not'ranch à nous, où qu'on peut aller, et not' maison à nous. Nous sommes pas forcés de rester ici. Nous avons une maison, et des poulets, et des arbres fruitiers, et un ranch cent fois plus joli que celui-ci. Et on a des amis, c'est ça qu'on a. Y a peut-être bien eu un temps où qu'on avait peur de se faire foutre à la porte, mais c'est plus maintenant. Nous avons not' terre à nous, et elle nous appartient, et c'est là que nous pouvons aller.

La femme de Curley lui rit au nez.

— Des blagues, dit-elle. J'en ai connu des gars comme vous. Si vous aviez vingt ronds en poche, vous seriez en ville à vous payer deux coups de whiskey et à lécher le fond de vos verres. J'vous connais, les gars.

Candy devenait de plus en plus rouge, mais elle n'avait pas fini de parler qu'il était déjà parvenu à se dominer. Il était maître de la situation.

— J'aurais dû savoir, dit-il doucement. Vous feriez peut-être mieux d'aller jouer au cerceau ailleurs. Nous n'avons absolument rien à vous dire. Nous avons ce que nous avons, et on s'fout que vous le sachiez ou non. Comme ça, vous feriez peut-être aussi bien de vous cavaler, parce que, des fois, Curley n'aimerait peut-être pas trouver sa femme dans l'écurie avec nous autres, les clochards.

Elle les dévisagea à tour de rôle et les vit tous hostiles. Et elle regarda Lennie plus longtemps que les deux autres jusqu'au moment où il baissa les yeux, embarrassé. Soudain, elle dit :

— Qui est-ce qui vous a fait ces bleus sur la figure ?

Lennie jeta sur elle un regard coupable.

— Qui... moi ?

— Oui, vous.

Lennie, d'un coup d'œil, appela Candy à son secours, puis il se remit à contempler ses genoux.

— Il s'est fait prendre la main dans une machine, dit-il.

La femme de Curley se mit à rire :

— Ça va, Machine. J'te parlerai plus tard. Les machines, moi j'aime ça.

Candy intervint :

— Vous laisserez ce garçon tranquille. N'vous frottez pas à lui. Je répéterai à George ce que vous venez de dire. George n'vous laissera pas embêter Lennie.

— Qui est George ? demanda-t-elle, le petit type qui est venu avec toi ?

Lennie eut un sourire heureux :

— C'est ça, dit-il. C'est lui, et il me laissera soigner les lapins.

— Oh ! ben, si c'est ça que tu veux, j'pourrais m'en procurer moi-même des lapins.

Crooks se leva de son lit et se planta devant elle.

— En v'là assez, dit-il froidement. Vous n'avez pas le droit de venir dans la chambre d'un noir. Vous n'avez aucun droit de venir tourner par ici. Vous allez foutre le camp, et vite. Sinon, j'demanderai au patron de n'plus vous laisser venir à l'écurie.

Elle se tourna vers lui, méprisante.

— Écoute, nègre, dit-elle, tu sais ce que je pourrais faire si t'ouvres ta sale gueule ?

Crooks la regarda, éperdu, puis il s'assit sur son lit et se retira en lui-même.

Elle se rapprocha :

— Tu sais ce que je pourrais faire ?

Crooks semblait rapetisser et il se pressait contre le mur.

— Oui, madame.

— Dans ce cas, tiens-toi à ta place, nègre. J'pourrais te faire pendre à une branche d'arbre si facilement que ça ne serait même pas rigolo.

Crooks était réduit à rien. Il n'avait plus ni personnalité ni moi, rien qui pût éveiller ni sympathie ni antipathie. Il dit : « Oui, madame », d'une voix blanche.

Elle resta un moment penchée au-dessus de lui, attendant qu'il bougeât afin de pouvoir de nouveau le fustiger. Mais Crooks restait complètement immobile, les yeux détournés, mettant à couvert tout ce qui aurait pu être blessé. Elle finit par se retourner vers les deux autres.

Le vieux Candy la regardait fasciné.

— Si jamais vous faisiez ça, on parlerait, nous autres, dit-il calmement. On raconterait que c'était un coup monté.

— De belles foutaises, vos racontars, s'écria-t-elle. Personne ne vous écouterait, vous le savez bien. Personne ne vous écouterait.

Candy céda.

— Non..., admit-il, personne ne nous écouterait.

Lennie gémit :

— J'voudrais que George soit ici. J'voudrais que George soit ici.

Candy s'approcha de lui :

— T'en fais pas, dit-il, j'viens de les entendre rentrer. George va être au baraquement dans une minute, j'parie.

Il se retourna vers la femme de Curley.

— Vous feriez mieux de rentrer, dit-il calmement, si

vous partez tout de suite, on n'dira pas à Curley que vous êtes venue ici.

Elle le toisa froidement :

— J'suis pas tellement sûre que vous ayez entendu quelque chose.

— Vaut autant pas courir le risque, dit-il. Si vous êtes pas sûre, vaut mieux pas vous exposer.

Elle se tourna vers Lennie :

— J'suis contente que vous ayez un peu amoché Curley. Ça devait lui arriver. Y a des fois que j'aimerais bien l'amocher moi-même.

Elle s'éclipsa par la porte et disparut dans l'obscurité de l'écurie. Et, quand elle traversa l'écurie, les licous cliquetèrent, quelques chevaux s'ébrouèrent, d'autres piaffèrent.

Crooks sembla se dégager lentement des couches protectrices sous lesquelles il s'était abrité.

— C'est vrai ce que t'as dit, que les types étaient de retour ? demanda-t-il.

— Pour sûr, j'les ai entendus.

— Moi, j'ai rien entendu.

— La grille a battu, dit Candy.

Il continua :

— Bon Dieu, elle peut s'défiler en vitesse, la femme à Curley. M'est avis qu'elle en a l'habitude.

Mais Crooks, maintenant, évitait le sujet.

— Vous feriez peut-être mieux de vous en aller, tous les deux, dit-il. J'sais plus trop si j'ai envie que vous restiez. Un noir doit bien avoir quelques droits, quand bien même qu'ils n'sont pas de son goût.

Candy dit :

— Cette garce n'aurait pas dû te dire ça.

— Ça ne fait rien, dit Crooks sombrement. En venant vous asseoir ici, tous les deux, vous m'avez fait oublier. Ce qu'elle dit est vrai.

Les chevaux s'ébrouèrent dans l'écurie et les chaînes tintèrent, et une voix appela :

— Lennie, eh, Lennie ! T'es dans l'écurie ?

— C'est George, s'écria Lennie.

Et il répondit :

— Ici, George, j'suis ici.

Une seconde après, George apparaissait dans l'encadrement de la porte, et jetait autour de lui un regard désapprobateur.

— Qu'est-ce que tu fous dans la chambre de Crooks ? Tu devrais pas être là.

Crooks approuva :

— J'leur ai dit, mais ils sont entrés quand même.

— Pourquoi que tu les as pas foutus dehors ?

— J'y tenais pas, dit Crooks. Lennie est bon type.

C'était Candy maintenant qui s'agitait :

— Oh ! George. J'ai calculé et calculé. J'ai tout figuré, même comment on pourrait gagner de l'argent avec les lapins.

George gronda :

— J'croyais t'avoir dit d'en parler à personne.

Candy fut tout déconfit.

— J'l'ai dit à personne, sauf à Crooks.

George dit :

— Enfin, foutez le camp de là, tous les deux. Bon Dieu, c'est à croire que j'peux pas m'éloigner une minute.

Candy et Lennie se levèrent et se dirigèrent vers la porte. Crooks appela :

— Candy !

— Hein ?

— Tu t'rappelles ce que j'ai dit, au sujet de piocher et des petits ouvrages ?

— Oui, dit Candy, j'me rappelle.

— Ben, oublie-le, dit Crooks. J'en pensais pas un mot.

C'était de la blague. J'aimerais pas habiter un endroit comme ça.

— Bon, entendu, si c'est ton sentiment. Bonne nuit.

Les trois hommes sortirent. Quand ils traversèrent l'écurie, les chevaux s'ébrouèrent et les licous tintèrent.

Assis sur son lit, Crooks resta quelques minutes à regarder la porte, puis il leva la main pour atteindre son flacon de liniment. Il releva sa chemise par-derrière, versa un peu de liniment dans sa paume rose et, la passant derrière lui, il commença à se frotter l'épine dorsale.

5

À l'un des bouts de la vaste écurie, il y avait un gros tas de foin nouveau, et le tas était surmonté du grappin à quatre dents suspendu à sa poulie. Le foin s'abaissait vers l'autre bout de l'écurie comme le versant d'une montagne, et il y avait un espace vide en vue de la prochaine fenaison. De chaque côté, on pouvait voir les râteliers, et, entre les barreaux, les têtes des chevaux apparaissaient.

C'était dimanche après-midi. Les chevaux au repos mordillaient les quelques brindilles de foin qui restaient, et ils piaffaient, mordaient le bois des mangeoires et faisaient cliqueter leurs licous. Le soleil de l'après-midi filtrait à travers les fentes des murs et traçait des raies lumineuses sur le foin. L'air bourdonnait du vol des mouches, le bourdonnement paresseux de l'après-midi.

Au-dehors, on entendait le tintement des fers à cheval sur la fiche d'acier, et les cris des hommes qui jouaient, s'encourageaient, se moquaient. Mais, dans l'écurie, tout était calme, bourdonnant, paresseux et chaud.

Il n'y avait que Lennie dans l'écurie, et Lennie était assis dans le foin, près d'une caisse d'emballage qui se trouvait sous une mangeoire, dans la partie de l'écurie qui n'était pas encore remplie de foin. Lennie était assis dans le foin et regardait un petit chien mort qui gisait devant lui. Lennie le regarda longtemps, puis il avança sa grosse main et le caressa, le caressa du museau jusqu'au bout de la queue.

Et Lennie dit doucement au petit chien :

— Pourquoi c'est-il que tu t'es laissé tuer ? T'es pas aussi petit que les souris. J't'avais pas fait sauter bien fort.

Il releva la tête du chiot et lui regarda la figure en lui disant :

— Maintenant, George ne me laissera peut-être pas soigner les lapins quand il saura que tu es mort.

Il fit un petit creux et y déposa le chien qu'il recouvrit de foin pour le dissimuler. Mais il ne pouvait détacher ses yeux du petit tas qu'il avait fait. Il dit :

— C'est pas assez mal pour que j'aille me cacher dans les broussailles. Oh ! non, sûrement pas. J'dirai à George que je l'ai trouvé mort.

Il découvrit le petit chien et l'examina, et il le caressa des oreilles à la queue. Il continua tristement :

— Mais il le saura. George sait toujours tout. Il dira : « C'est toi qui as fait ça. Faut pas essayer de me tromper. » Et il dira : « Maintenant, rien que pour ça, tu n'soigneras pas les lapins. »

Brusquement, il s'écria avec colère :

— Pourquoi t'es-tu laissé tuer, nom de Dieu ? T'es pas aussi petit que les souris.

Il ramassa le chiot et le lança loin de lui. Il lui tourna le dos. Assis, les genoux relevés, il murmura :

— Maintenant, je n'soignerai pas les lapins. Maintenant, il n'me laissera plus le faire.

Et, dans son désespoir, il oscillait d'avant en arrière.

Dehors, les fers à cheval tintèrent sur la fiche d'acier, et une légère clameur s'éleva. Lennie se mit debout, alla chercher le petit chien, le posa sur le foin et se rassit. Il se remit à le caresser :

— T'étais pas assez grand, dit-il. Ils me l'ont dit et redit que t'étais pas assez grand. J'savais pas que tu mourrais si facilement.

Il passa son doigt sur l'oreille flasque du chien.

— Peut-être que George s'en foutra, dit-il. Il n'lui était rien à George, ce sacré petit fils de garce.

La femme de Curley apparut au coin de la dernière stalle. Elle s'approcha si doucement que Lennie ne la vit pas. Elle portait sa robe de coton de couleur vive et ses mules ornées de plumes d'autruche rouges. Son visage était maquillé et tous ses tire-bouchons bien en place. Elle était tout près quand Lennie leva les yeux et l'aperçut.

Affolé, il jeta une poignée de foin sur le chiot. Il la regarda d'un air sombre.

Elle dit :

— Qu'est-ce que t'as là, mon petit ami ?

Lennie lui jeta un regard farouche :

— George dit qu'il n'faut pas que j'reste avec vous... faut pas que je vous parle, ni rien.

Elle rit :

— C'est George qui te dit toujours ce qu'il faut faire ?

Lennie baissa les yeux vers le foin.

— Il dit que je soignerai pas les lapins si je vous parle, ou autre chose.

Elle dit tranquillement :

— Il a peur que Curley s'mette en colère. Ben, Curley a le bras en écharpe... et si Curley fait le méchant, t'auras qu'à lui écraser l'autre main. J'me suis pas laissé prendre à ton histoire de machine.

Mais Lennie ne se laissait pas faire :

— Non, non. Sûr que j'vous parlerai pas, ni rien.

Elle s'agenouilla dans le foin, près de lui.

— Écoute, dit-elle. Tout le monde est à jouer aux fers. Il est à peine quatre heures. Ils font un concours. Personne ne partira. Pourquoi donc que je te causerais pas ? J'cause jamais à personne. J'me sens horriblement seule.

Lennie dit :

— Enfin, je suis pas supposé vous parler, ni rien.

— J'me sens seule, dit-elle. Toi, tu peux causer aux gens, mais, moi, y a qu'à Curley que j'peux causer. Sans ça, il s'fout en rogne. T'aimerais ça, toi, parler à personne ?

Lennie dit :

— J'suis pas supposé le faire. George a peur qu'il m'arrive des ennuis.

Elle changea de sujet :

— Qu'est-ce que c'est que t'as là, recouvert ?

Alors, toute la douleur de Lennie lui remonta :

— Mon petit chien, dit-il tristement. Rien que mon petit chien.

Et, d'un coup de main, il balaya le foin qui le recouvrait.

— Mais il est mort ! s'écria-t-elle.

— Il était si petit, dit Lennie. On jouait ensemble... et il a fait semblant de me mordre... et j'ai fait semblant de le calotter... et... j'l'ai fait. Et puis, il était mort.

Elle le consola :

— Te tourmente pas, va. C'était qu'un petit cabot. T'en trouveras facilement un autre. Des cabots, y en a plein le pays.

— C'est pas tant ça, expliqua Lennie misérablement, mais, maintenant, George n'me laissera plus soigner les lapins.

— Pourquoi ça ?

— Ben, parce qu'il a dit que, si je faisais encore quelque chose de mal, il m'laisserait pas soigner les lapins.

Elle se rapprocha de lui et lui parla d'un ton câlin :

— Aie pas peur de me causer. Écoute-les tous qui gueulent, là-bas. Y a quatre dollars d'enjeu dans ce concours. Ils n's'en iront pas avant que ça soit fini.

— Si George me trouve en train de vous causer, il m'engueulera, dit Lennie prudemment. Il me l'a dit.

— Enfin, qu'est-ce que j'ai fait ? dit-elle, le visage furieux. J'ai donc pas l'droit de parler à quelqu'un ? Pour qui me prend-on, après tout ? T'es gentil garçon. J'vois pas pourquoi j'pourrais pas te causer. J'te fais pas de mal.

— Ben, c'est que George dit que vous nous ferez avoir des histoires.

— Bah ! dit-elle. Quel mal veux-tu que je te fasse ? Y en a pas un seul qui ait l'air de s'inquiéter de la vie que je mène ici. Tu peux me croire, j'ai pas été habituée à mener une vie pareille. J'aurais pu devenir quelqu'un.

Elle continua d'une voix sombre :

— Il n'est pas dit que ça n'arrive pas.

Puis, ses mots se précipitèrent dans un désir passionné d'épanchement, comme si elle eût craint qu'on lui enlevât son auditoire.

— J'habitais Salinas, dit-elle. J'étais toute gosse quand j'y suis venue. Et, un jour, un théâtre s'est amené en ville, et j'ai fait la connaissance d'un des acteurs. Il m'a dit que je pourrais faire partie de la troupe. Mais ma mère n'a pas voulu. Parce que j'avais juste quinze ans, qu'elle disait. Mais le type m'avait dit que j'pourrais. Si je l'avais fait, tu parles que j'mènerais un autre genre de vie.

Lennie caressait le petit chien.

— Nous, on aura une petite ferme... et des lapins, expliqua-t-il.

Elle continua son histoire, rapidement, avant qu'il eût pu l'interrompre.

— Une autre fois, j'ai rencontré un type qu'était dans le cinéma. J'suis allée danser avec lui au Riverside Dance Palace. Il m'a dit qu'il me ferait faire du cinéma. Il m'a dit que j'étais née actrice. Dès son retour à Hollywood, il devait m'écrire.

Elle regarda Lennie de tout près, pour voir si elle l'impressionnait.

— J'ai jamais reçu la lettre, dit-elle. J'ai toujours eu dans l'idée que ma mère l'avait chipée. Bref, j'allais pas rester dans un trou où j'arriverais à rien, où j'pourrais pas m'faire un nom, et où on me volait mes lettres. J'lui ai demandé si c'était elle qui me l'avait volée, et elle m'a dit que non. Alors, j'ai épousé Curley. J'l'avais rencontré, ce même soir, au Riverside Dance Palace.

Elle demanda :

— Tu m'écoutes ?

— Moi ! Bien sûr.

— J'ai encore jamais raconté ça à personne. J'devais peut-être pas. Je n'aime pas Curley. C'est un mauvais garçon.

Et parce qu'elle s'était confiée à lui, elle se rapprocha de Lennie et s'assit près de lui.

— J'aurais pu faire du cinéma, et avoir de belles toilettes... toutes ces jolies toilettes qu'elles portent. Et j'aurais pu m'asseoir dans ces grands hôtels, et on aurait tiré mon portrait. Le premier soir qu'on aurait passé les films, j'aurais pu y aller, et j'aurais parlé à la sans-fil et ça n'm'aurait pas coûté un sou, parce que j'aurais joué dans le film. Et toutes ces belles toilettes qu'elles portent. Parce que le type m'a dit que j'étais née actrice.

Elle leva les yeux vers Lennie et elle esquissa un grand geste du bras et de la main pour montrer qu'elle pouvait jouer. Ses doigts suivaient son poignet conducteur, le petit doigt noblement séparé des autres.

Lennie poussa un profond soupir. Au-dehors, un fer tinta sur le métal et des acclamations s'élevèrent.

— Y en a un qu'a encerclé la fiche, dit la femme à Curley.

La lumière changeait maintenant que le soleil baissait, et

les rais de soleil escaladaient le mur, tombaient sur les râteliers et au-dessus de la tête des chevaux.

Lennie dit :

— Peut-être bien que si j'allais jeter ce petit chien dehors, George ne s'en apercevrait pas. Et alors, j'n'aurais plus de difficultés pour soigner les lapins.

La femme de Curley s'écria, en colère :

— Tu n'peux donc pas penser à autre chose qu'à ces lapins ?

— On aura une petite ferme, expliqua Lennie patiemment. On aura une maison et un jardin, et un carré de luzerne, et cette luzerne sera pour les lapins, et je prendrai un sac, et je le remplirai de luzerne, et puis je l'apporterai aux lapins.

Elle demanda :

— Pourquoi donc que t'aimes tant les lapins ?

Lennie dut réfléchir longuement avant d'arriver à une conclusion. Prudemment, il s'approcha d'elle, jusqu'à la toucher.

— J'aime caresser les jolies choses. Un jour, à la foire, j'ai vu de ces lapins à longs poils. Et ils étaient jolis, pour sûr. Des fois même, j'caresse des souris, mais c'est quand j'peux rien trouver de mieux.

La femme de Curley se recula un peu.

— J'crois que t'es piqué, dit-elle.

— Non, j'suis pas piqué, expliqua Lennie consciencieusement. George dit que j'le suis pas. J'aime caresser les jolies choses avec mes doigts, les choses douces.

Elle était un peu rassurée.

— Tout le monde est comme ça, dit-elle. Tout le monde aime ça. Moi, j'aime toucher la soie et le velours. Est-ce que t'aimes toucher le velours ?

Lennie gloussa de plaisir :

— Vous parlez, bon Dieu ! s'écria-t-il avec joie. Et même

que j'en ai eu un morceau. C'est une dame qui me l'avait donné, et cette dame, c'était ma tante Clara. Elle me l'a donné, à moi, un morceau grand comme ça, à peu près. J'voudrais bien l'avoir, ce velours, en ce moment même.

Sa figure se rembrunit.

— J'l'ai perdu, dit-il. Y a bien longtemps que j'l'ai pas vu.

La femme de Curley se moqua de lui :

— T'es piqué, dit-elle. Mais t'es gentil tout de même. On dirait un grand bébé. Mais, on peut bien voir ce que tu veux dire. Quand je me coiffe, des fois, je me caresse les cheveux, parce qu'ils sont si soyeux.

Pour montrer comment elle le faisait, elle passa ses doigts sur le haut de sa tête.

— Y a des gens qui ont des gros cheveux raides, continua-t-elle avec complaisance, Curley, par exemple. Ses cheveux sont comme des fils de fer. Mais les miens sont fins et soyeux. C'est parce que je les brosse souvent. C'est ça qui les rend fins. Ici... touche, juste ici.

Elle prit la main de Lennie et la plaça sur sa tête.

— Touche là, autour, tu verras comme c'est doux.

De ses gros doigts, Lennie commença à lui caresser les cheveux.

— Ne m'décoiffe pas, dit-elle.

Lennie dit :

— Oh ! c'est bon. — Et il caressa plus fort. — Oh ! c'est bon.

— Attention, tu vas me décoiffer.

Puis, elle s'écria avec colère :

— Assez, voyons, tu vas toute me décoiffer.

D'une secousse elle détourna la tête, et Lennie serra les doigts, se cramponna aux cheveux.

— Lâche-moi, cria-t-elle. Mais lâche-moi donc.

Lennie était affolé. Son visage se contractait. Elle se mit à hurler et, de l'autre main, il lui couvrit la bouche et le nez.

— Non, j'vous en prie, supplia-t-il. Oh ! j'vous en prie, ne faites pas ça. George se fâcherait.

Elle se débattait vigoureusement, sous ses mains. De ses deux pieds elle battait le foin, et elle se tordait dans l'espoir de se libérer. Lennie commença à crier de frayeur.

— Oh ! je vous en prie, ne faites pas ça, supplia-t-il. George va dire que j'ai encore fait quelque chose de mal. Il m'laissera pas soigner les lapins.

Il écarta un peu la main et elle poussa un cri rauque. Alors Lennie se fâcha.

— Allons, assez, dit-il. J'veux pas que vous gueuliez. Vous allez me faire arriver des histoires, tout comme a dit George. N'faites pas ça, voyons.

Et elle continuait à se débattre, les yeux affolés de terreur. Alors il la secoua, et il était furieux contre elle.

— Ne gueulez donc pas comme ça, dit-il en la secouant, et le corps s'affaissa comme un poisson.

Puis elle ne bougea plus, car Lennie lui avait brisé les vertèbres du cou.

Il abaissa les yeux vers elle, et, avec précaution, enleva la main de dessus sa bouche ; et elle resta immobile.

— J'veux pas vous faire de mal, dit-il, mais George s'foutra en rogne si vous gueulez.

Voyant qu'elle ne répondait ni ne bougeait, il se pencha tout contre elle. Il lui souleva le bras et le laissa retomber. Un moment il sembla éberlué. Puis il soupira dans sa terreur :

— J'ai fait quelque chose de mal. J'ai encore fait quelque chose de mal.

Il entassa du foin jusqu'à ce qu'elle fût partiellement recouverte.

Des cris d'hommes et le double tintement de fers sur le métal retentirent au-dehors. Pour la première fois, Lennie prit conscience du monde extérieur. Il se tapit dans le foin et écouta.

— J'ai fait quelque chose de vraiment mal, dit-il. J'aurais pas dû faire ça. George va se fâcher. Et... il a dit... et tu te cacheras dans les fourrés, jusqu'à ce que je vienne te chercher. Il va se fâcher. Dans les fourrés jusqu'à ce que je vienne. C'est ça qu'il a dit.

Lennie retourna vers la femme morte. Le petit chien gisait tout près d'elle. Lennie le ramassa.

— J'vais le jeter, dit-il, y a assez de mal comme ça.

Il glissa le chien sous son veston, rampa jusqu'au mur de l'écurie et regarda par une fente, dans la direction de la partie de fers. Puis il se glissa derrière la dernière mangeoire et disparut.

Les rais de soleil se trouvaient maintenant très haut sur le mur, et, dans l'écurie, la lumière s'adoucissait. La femme de Curley était étendue sur le dos, à demi recouverte de foin.

Tout était très calme dans l'écurie, et le calme de l'après-midi régnait sur le ranch. Même le tintement des fers lancés, même les voix des joueurs semblaient s'apaiser. En avance sur le jour extérieur, la pénombre maintenant envahissait l'écurie. Un pigeon entra par le vantail grand ouvert pour le passage du foin. Il décrivit un cercle, puis ressortit. Une chienne de berger apparut au coin de la dernière stalle. Elle était mince et longue, et ses lourdes mamelles pendaient. À mi-chemin de la caisse d'emballage où se trouvaient ses petits elle flaira l'odeur morte de la femme de Curley, et ses poils se hérissèrent sur son dos. Elle se mit à geindre et, ayant regagné sa caisse d'emballage, elle sauta y retrouver ses petits.

La femme de Curley gisait à demi recouverte de foin jaune. La méchanceté, les machinations, les rancœurs de sa solitude ne pouvaient plus se lire sur son visage. Elle était très jolie et toute simple, et son visage était doux et jeune. Ses joues fardées et ses lèvres rougies lui donnaient l'air vivant, et elle semblait dormir d'un sommeil léger. Ses boucles, comme de minuscules tire-bouchons, étaient éparses sur le foin derrière sa tête, et ses lèvres étaient entrouvertes.

Comme il arrive parfois, les minutes s'attardèrent, durèrent bien plus que des minutes. Et tout bruit cessa, et tout mouvement cessa pendant quelques minutes beaucoup, beaucoup plus longues que des minutes.

Puis, peu à peu, le temps se réveilla et reprit paresseusement son cours. Les chevaux piaffèrent de l'autre côté des râteliers et les licous cliquetèrent. Au-dehors, les voix des hommes se firent plus hautes, plus claires.

La voix du vieux Candy se fit entendre au coin de la dernière stalle.

— Lennie, cria-t-il, hé, Lennie ! T'es là ? J'ai fait d'autres calculs. J'vas te dire ce qu'on pourra faire, Lennie.

Le vieux Candy apparut au coin de la dernière stalle.

— Hé, Lennie ! appela-t-il encore ; puis il s'arrêta et son corps se raidit.

Il frotta son poignet lisse sur sa joue blanche mal rasée.

— J'savais pas que vous étiez ici, dit-il à la femme de Curley.

Ne recevant pas de réponse, il se rapprocha.

— Vous devriez pas dormir ici, dit-il d'un ton de reproche.

Une minute plus tard il était tout près d'elle et... « Sacré nom de Dieu ! » Éperdu, il regarda tout autour de lui, en se frottant la barbe. Puis il fit un bond et s'élança hors de l'écurie.

Mais maintenant l'écurie s'était réveillée. Les chevaux piaffaient et renâclaient, et ils mangeaient la paille de leur litière, faisaient cliqueter les chaînes de leurs licous. Candy ne tarda pas à revenir accompagné de George.

George dit :

— Pourquoi que tu voulais me voir ?

Candy montra la femme de Curley. George regarda :

— Qu'est-ce qu'elle a ? demanda-t-il.

Il se rapprocha puis fit écho aux paroles de Candy. « Sacré nom de Dieu ! » Il s'était agenouillé près d'elle. Il lui mit la main sur le cœur. Et, quand enfin il se décida à se relever, lentement, péniblement, son visage avait la dureté, la tension du bois, et ses yeux aussi étaient durs.

Candy dit :

— Qui c'est qu'a fait ça ?

George le regarda froidement :

— T'as pas une idée ? demanda-t-il.

Et Candy resta silencieux.

— J'aurais dû m'en douter, dit George, désemparé. Mais, après tout, j'm'en doutais peut-être, dans le fond de ma tête.

Candy demanda :

— Qu'est-ce qu'on va faire maintenant, George ? Qu'est-ce qu'on va faire ?

George resta longtemps sans répondre.

— J'suppose... qu'il va falloir... l'dire aux autres. J'suppose qu'il va falloir le retrouver pour le faire enfermer. On n'peut pas le laisser se sauver. L'pauvre bougre, il crèverait de faim.

Et il tenta de se rassurer :

— Si on l'enferme, on sera peut-être bon pour lui.

Candy dit avec feu :

— Faut pas le laisser s'échapper. Tu n'connais pas le Curley. Curley voudra le faire lyncher. Curley le fera tuer.

George regardait les lèvres de Candy.

— Oui, finit-il par dire, t'as raison, Curley le fera tuer. Et les autres aussi.

Et, de nouveau, il regarda la femme de Curley.

Alors, Candy exprima sa crainte la plus sérieuse.

— Toi et moi, on pourra avoir cette petite terre quand même, pas vrai, George ? On pourra aller y mener la bonne vie, pas vrai, George ? Pas vrai ?

Sans attendre la réponse de George, Candy baissa la tête et regarda le foin. Il avait compris.

George dit doucement :

— J'm'en doutais, j'crois, dès le début. J'm'en doutais qu'on ne l'aurait jamais. Mais il aimait tellement en entendre parler que j'avais fini par croire qu'on finirait peut-être par l'avoir.

— Alors... c'est définitivement dans l'eau ? demanda Candy d'un air sombre.

George ignora la question. George dit :

— J'vais faire mon mois, j'prendrai mes cinquante dollars et j'passerai toute une nuit dans quelque pouilleux de bordel. Ou bien j'resterai au cabaret jusqu'à ce que tout le monde s'en retourne chez soi. Alors, j'reviendrai travailler un autre mois et j'aurai cinquante dollars de plus.

Candy dit :

— C'est un si bon type. J'aurais jamais cru qu'il aurait fait une chose pareille.

George regardait toujours la femme de Curley.

— Lennie n'l'a pas fait par méchanceté, dit-il. Il passe son temps à faire des bêtises, mais c'est jamais par méchanceté.

Il se redressa et se retourna vers Candy :

— Maintenant, écoute. Faut aller le dire aux autres. J'imagine qu'il faudra bien qu'on l'amène ici. On n'peut pas éviter ça. Ils n'lui feront peut-être pas de mal.

Il dit d'un ton tranchant :

— J'les laisserai pas faire de mal à Lennie. Maintenant, écoute. Les autres pourraient peut-être penser que j'y suis pour quelque chose, moi aussi. J'vais aller dans notre chambre. Toi, dans une minute, tu sortiras le dire aux autres, et moi, j'm'amènerai et j'ferai comme si j'l'avais jamais vue. Tu veux bien faire ça ? Comme ça, les types verront bien que j'y suis pour rien.

Candy dit :

— Pour sûr, George. Pour sûr que j'veux bien faire ça.

— Bon. Donne-moi deux minutes, et puis tu sors en vitesse et tu leur dis que tu viens juste de la trouver. Je file.

George fit demi-tour et sortit rapidement de l'écurie.

Le vieux Candy le regarda s'en aller. Désemparé, il reporta ses yeux sur la femme de Curley, et, peu à peu, son chagrin et sa colère montèrent, jusqu'à s'exprimer en paroles.

— Sacré nom de Dieu de garce, dit-il méchamment, t'es arrivée à ce que tu voulais, hein ? J'parie que te v'là contente. Tout le monde le savait que tu ferais du grabuge. T'as jamais rien valu. Tu n'vaux plus rien maintenant, sale fumier.

Il renifla et sa voix trembla.

— J'aurais pu sarcler leur jardin et laver leur vaisselle.

Il s'arrêta, puis il se mit à psalmodier.

Et il répétait les vieux mots :

— S'il y avait eu un cirque ou un match de base-ball... on y serait allé... on aurait dit simplement : l'travail on s'en fout, et on y serait allé. On n'aurait rien eu à demander à personne. Et on aurait eu un cochon et des poulets... et l'hiver... le petit poêle bien rond... et la pluie qui serait venue... et nous, assis, là, bien tranquilles.

Ses yeux s'étaient remplis de larmes, et il se retourna, et, lentement, il sortit de l'écurie tout en frottant avec son moignon les poils hérissés de ses joues.

Au-dehors, le bruit de la partie cessa. Des voix s'élevèrent ; on discutait. Puis ce fut un martèlement de pieds, et les hommes firent irruption dans l'écurie. Slim, Carlson, et le jeune Whit, et Curley et Crooks qui se tenait derrière pour ne pas attirer l'attention. Candy les suivait, et George arriva le dernier. George avait mis son veston de serge de coton bleue et l'avait boutonné. Il avait abaissé son chapeau noir sur ses yeux. Les hommes franchirent la dernière stalle au pas de course. Leurs yeux distinguèrent la femme de Curley dans la pénombre. Ils s'arrêtèrent, et restèrent immobiles à la regarder.

Puis, tranquillement, Slim s'approcha d'elle et lui tâta le pouls. De son doigt fin il lui toucha la joue, puis il glissa sa main sous le cou légèrement tordu que les doigts palpèrent. Quand il se redressa, les hommes se pressèrent autour de lui et le silence fut rompu.

Curley revint brusquement à la vie.

— Je sais qui a fait ça, cria-t-il. C'est ce grand enfant de putain qui l'a fait. Je sais que c'est lui. Y a pas de doute, tous les autres étaient à jouer aux fers.

Il s'excitait à la fureur.

— J'vais lui faire son affaire. J'vais chercher mon fusil. J'le tuerai moi-même, l'enfant de putain. J'lui foutrai une balle dans les tripes. Allez, venez, les gars.

Furieux, il sortit de l'écurie en courant. Carlson dit :

— J'vais chercher mon Luger.

Et il s'enfuit lui aussi en courant.

Slim se tourna tranquillement vers George :

— J'crois bien, en effet, que c'est Lennie qui a fait le coup, dit-il. Elle a le cou brisé. Y a que Lennie qui ait pu faire ça.

George ne répondit pas, mais il opina lentement. Son chapeau lui descendait si avant sur le front qu'on ne lui voyait pas les yeux.

Slim continua :

— Peut-être bien comme cette histoire de Weed que tu me racontais.

De nouveau George opina.

Slim soupira :

— Ben, j'crois qu'il va falloir qu'on le rattrape. Où c'est que tu crois qu'il est allé ?

Longtemps George sembla incapable d'articuler un mot.

— Il... il sera allé vers le Sud, dit-il. Nous sommes venus du Nord, alors, il sera allé vers le Sud.

— J'crois qu'il faut qu'on le rattrape, répéta Slim.

George se rapprocha :

— Est-ce qu'on ne pourrait pas le ramener ici et le faire enfermer ? Il est cinglé, Slim. C'est pas par méchanceté qu'il a fait ça.

Slim acquiesça :

— On pourrait peut-être, dit-il. Si on peut empêcher Curley de sortir, on pourra peut-être. Mais Curley va vouloir le tuer, Curley est encore en rogne à cause de sa main. Et, suppose qu'on l'enferme, et qu'on l'attache, et qu'on le foute dans une cage. C'est pas guère à souhaiter, George.

— Je sais, dit George, je sais.

Carlson rentra en courant :

— Il m'a volé mon Luger, l'enfant de garce, hurla-t-il. Il n'est plus dans mon sac.

Curley le suivait, et Curley portait un fusil dans sa main valide. Curley avait repris son calme.

— On y est, les gars ? dit-il. Le nègre a un fusil. Prends-le, Carlson. Quand tu l'apercevras, n'le laisse pas échapper. Fous-lui une balle dans les tripes. Ça l'fera plier en deux.

Whit très agité dit :

— Moi, j'ai pas de fusil.

Curley dit :

— Toi, t'iras à Soledad chercher la police. Amène Al Wilts, l'assistant du shérif. Allons, en route.

Soupçonneux, il se tourna vers George :

— Tu viens avec nous, mon garçon ?

— Oui, dit George. J'irai. Mais écoute, Curley. Le pauvre

bougre est cinglé. Faut pas le tuer. Il n'savait pas ce qu'il faisait.

— Pas le tuer ? cria Curley. Il a volé le Luger de Carlson. Tu parles si on va le tuer.

George dit mollement :

— Carlson l'a peut-être perdu, son Luger.

— J' l'ai vu ce matin, dit Carlson. Non, non, on me l'a volé.

Slim regardait la femme de Curley. Il dit :

— Curley... tu ferais peut-être mieux de rester avec ta femme.

La face de Curley s'empourpra :

— J'veux y aller, dit-il. J'veux lui crever les tripes, moi-même, à ce grand enfant de putain, quand même que j'aie qu'une main. C'est moi qui l'aurai.

Slim se tourna vers Candy :

— Alors, c'est toi, Candy, qui vas rester avec elle. Nous autres, on ferait mieux de partir.

Ils se mirent en marche. George s'arrêta un instant auprès de Candy, et tous les deux contemplèrent la fille morte. Mais Curley appela :

— Hé, George, reste avec nous, qu'on voie que tu y as pas mis la main.

George les suivit lentement, et il traînait les pieds, lourdement.

Et quand ils furent partis, Candy s'accroupit dans le foin et regarda le visage de la femme de Curley.

— Le pauvre bougre ! dit-il doucement.

Le bruit des hommes s'évanouit. L'écurie s'obscurcissait peu à peu, et, dans leurs stalles, les chevaux frottaient les pieds et faisaient cliqueter leurs licous. Le vieux Candy se coucha dans le foin et se couvrit les yeux avec son bras.

6

Dans cette fin d'après-midi, l'eau de la Salinas dormait, profonde, tranquille et verte. Déjà le soleil avait quitté la vallée et escaladait les versants des monts Gabilan, et les sommets étaient tout roses de soleil. Mais, près de l'eau dormante, parmi les sycomores madrés, tout se trouvait baigné dans une ombre plaisante.

Un serpent d'eau remontait mollement la rivière. Sa tête, comme un petit périscope, tournait de droite et de gauche, et il traversa le bassin d'eau dormante dans toute sa longueur pour venir se jeter dans les pattes d'un héron qui guettait, immobile, là où l'eau n'était pas profonde. Une tête et un bec s'élancèrent sans bruit et saisirent le serpent, et le bec l'avala par la tête tandis que la queue s'agitait, éperdue.

Une rafale se fit entendre au loin et le coup de vent fouetta le haut des arbres comme une vague. Les feuilles des sycomores montrèrent leur côté argenté. Par terre, les feuilles mortes coururent sur quelques mètres. Et, coup sur coup, de légères risées froissèrent la surface de l'eau verte.

Le vent tomba aussi vite qu'il s'était levé, et la clairière redevint silencieuse. Immobile, le héron attendait. Un autre petit serpent remonta la rivière, tournant de droite et de gauche sa tête en petit périscope.

Soudain, Lennie déboucha des fourrés. Il avançait, furtif comme un ours qui rampe. Le héron battit l'air de ses ailes, puis, d'une secousse, il sortit de l'eau et s'enfuit, survolant la rivière. Le petit serpent disparut parmi les roseaux de la rive.

Lennie s'approcha tranquillement du bord de l'eau. Il s'agenouilla et se mit à boire, effleurant à peine l'eau de ses lèvres. Quand, derrière lui, les feuilles sèches craquèrent au passage d'un petit oiseau, il releva la tête brusquement, et il resta les yeux fixes et l'oreille tendue jusqu'à ce qu'il eût aperçu l'oiseau. Alors il laissa retomber sa tête et se remit à boire.

Quand il eut fini, il s'assit sur la rive, de biais, afin de pouvoir surveiller l'entrée du sentier. Il prit ses genoux dans ses deux mains et posa son menton sur ses genoux.

La lumière montait, quittait le fond de la vallée, et, en même temps, le sommet des montagnes paraissait s'embraser d'une lueur grandissante.

Lennie dit doucement :

— J'ai pas oublié, tu parles, nom de Dieu. Me cacher dans les fourrés et attendre que George arrive.

Il enfonça son chapeau sur ses yeux :

— George va m'engueuler, dit-il. George va regretter de n'être pas seul, et que je sois là, à l'ennuyer.

Il tourna la tête et regarda le sommet lumineux des montagnes.

— J'pourrais aller là-haut et me chercher une caverne, dit-il.

Puis il continua tristement :

— ... et plus jamais de coulis de tomates... mais, j' m'en fous. Si George n'veut plus de moi... j' m'en irai, j' m'en irai.

Et alors, du cerveau de Lennie sortit une grosse petite vieille. Elle portait des lunettes à verres épais, et un tablier à poches, en guingamp et elle était propre et empesée. Elle se tenait devant Lennie, les poings sur les hanches, et elle le regardait en fronçant les sourcils d'un air de reproche.

Et, quand elle parla, ce fut par la voix de Lennie.

— Je te l'ai dit et redit, dit-elle. Je te l'ai dit : « Suis les conseils de George, parce que c'est un gentil garçon, et il est toujours très bon pour toi. » Mais tu n'en fais pas de cas. Tu fais de vilaines choses.

Et Lennie répondit :

— J'ai essayé, tante Clara. J'ai essayé et essayé, ma tante. J'ai pas pu m'en empêcher.

— Tu ne penses jamais à George, continua-t-elle par la voix de Lennie. Il ne cesse de te faire des gentillesses. Quand il a un morceau de tarte, il t'en donne toujours la moitié, et même un peu plus. Et s'il y avait du coulis de tomates, il serait capable de tout te le donner.

— Je le sais, dit Lennie misérablement. J'ai essayé, tante Clara. J'ai essayé et essayé, ma tante.

Elle l'interrompit :

— Il aurait pu être si heureux si t'avais pas été là. Il aurait pu garder tout son salaire et aller rigoler au bordel, et il aurait pu aller faire une poule au billard. Mais il faut qu'il s'occupe de toi.

Lennie gémissait de chagrin.

— Je sais, tante Clara. J'vais m'en aller dans la montagne et me chercher une caverne où que je pourrai vivre, comme ça j'embêterai plus George.

— Tu dis ça, dit-elle d'un ton tranchant. Tu dis tout le temps ça, mais tu sais bien que tu n'seras jamais foutu de le faire. Tu resteras là, comme toujours, à l'emmerder, ce pauvre George.

Lennie dit :

— Vaut autant m'en aller. George ne me laissera plus soigner les lapins, maintenant.

Et tante Clara disparut, et, du cerveau de Lennie sortit

un lapin gigantesque. Il s'assit en face de lui, remua les oreilles et trémoussa le nez. Et il parla également par la voix de Lennie.

— Soigner les lapins ! dit-il avec mépris. Bougre d'idiot. Tu ne mérites même pas de leur lécher les bottes, aux lapins. Tu les oublierais, tu les laisserais mourir de faim. Voilà ce que tu ferais. Et alors, George, qu'est-ce qu'il dirait ?

— Non j'oublierais pas, dit Lennie à haute voix.

— J' t'en fous, dit le lapin. Tu n'vaux pas la corde pour te pendre. Dieu sait que George a fait tout ce qu'il était possible de faire pour te tirer du ruisseau, mais ça n'a servi à rien. Si tu te figures que George va te laisser soigner les lapins, t'es encore plus dingo que d'habitude. Il n'fera jamais ça. Il te foutra une bonne volée de coups de bâton, voilà ce qu'il fera.

Cette fois, Lennie se rebiffa.

— Ça, jamais de la vie. George ne fera jamais une chose pareille. J'connais George depuis... j'sais pas combien de temps... et jamais il ne m'a menacé d'un bâton. Il est gentil avec moi. Il n'va pas commencer à être méchant.

— Oui, mais il en a plein le dos de toi, dit le lapin. Il va bien t'engueuler, et puis il s'en ira, et il te laissera.

— Non, cria Lennie affolé. Non, il n'fera pas une chose pareille. J'le connais, George. Lui et moi, on voyage ensemble.

Mais, doucement, le lapin répétait sans cesse :

— Il te laissera, bougre de couillon. Il te laissera tout seul. Il te laissera, bougre de couillon.

Des deux mains, Lennie se boucha les oreilles :

— Non ! J'te dis que non ! — et il s'écria : — Oh ! George !... George !... George !...

George sortit tranquillement des fourrés, et le lapin rentra se cacher dans la cervelle de Lennie.

George dit avec calme :

— Qu'est-ce que t'as à gueuler ?

Lennie se redressa sur les genoux :

— Tu me laisseras pas, dis, George ? J'sais bien que tu me laisseras pas.

George, d'un pas raide, se rapprocha et s'assit près de lui.

— Non.

— Je l'savais, s'écria Lennie. T'es pas un type à faire ça.

George resta silencieux.

Lennie dit :

— George ?

— Quoi ?

— J'ai encore fait quelque chose de mal.

— Ça ne fait rien, dit George.

Et le silence retomba.

Il n'y avait plus que l'extrême crête des montagnes qui fût maintenant au soleil. Dans la vallée, l'ombre était douce et bleue. Des voix d'hommes qui s'interpellaient retentirent au loin. George tourna la tête et écouta les cris.

Lennie dit :

— George.

— Quoi ?

— Tu n'vas pas m'engueuler ?

— T'engueuler ?

— Mais oui, comme t'as déjà fait. Comme ça, tu sais bien : « Si j' t'avais pas avec moi, j'prendrais mes cinquante dollars... »

— Sacré nom de Dieu, Lennie ! Tu te rappelles rien de ce qui se passe, mais tu te rappelles chaque mot que je dis.

— Alors, tu vas pas le dire ?

George se secoua et dit avec raideur :

— Si j'étais seul, la vie serait si facile.

Il parlait d'une voix blanche, monotone.

— J'pourrais me trouver du travail et j'aurais jamais d'embêtements.

Il s'arrêta.

— Continue, dit Lennie... Et, à la fin du mois...

— Et à la fin du mois, j'prendrais mes cinquante dollars et j' m'en irais... au claque...

Il s'arrêta encore.

Lennie le regardait avec passion :

— Continue, George. Tu n'veux plus m'engueuler ?

— Non, dit George.

— Alors, j'peux m'en aller, dit Lennie. J'vais m'en aller là-haut, dans la montagne, me chercher une caverne si tu ne veux plus de moi.

George se secoua de nouveau :

— Non, dit-il. J'veux que tu restes ici, avec moi.

Lennie dit avec astuce :

— Dis-moi, comme t'as fait déjà.

— Qu'est-ce que tu veux que je te dise ?

— La différence entre nous et les autres types.

George dit :

— Les types comme nous, ils n'ont pas de famille. Ils s'font un peu d'argent, et puis ils le dépensent tout. Y a personne dans le monde pour se faire de la bile à leur sujet...

— *Mais pas nous*, s'écria Lennie tout heureux. Raconte comment c'est pour nous.

George resta un instant tranquille :

— Mais pas nous, dit-il.

— Parce que...

— Parce que moi, j't'ai et...

— Et moi, j' t'ai. On est là tous les deux à se faire de la bile l'un pour l'autre, voilà ! s'écria Lennie, triomphant.

La brise du soir souffla légèrement sur la clairière et une risée courut sur l'eau verte. Et, de nouveau, les voix des hommes retentirent, beaucoup plus près, cette fois.

George enleva son chapeau. Il dit avec un frémissement dans la voix :

— Enlève ton chapeau, Lennie. Il fait bon.

Lennie, docile, enleva son chapeau et le posa par terre devant lui. Dans la vallée, l'ombre se faisait plus bleue, et le soir tombait vite. Le vent leur apporta un bruit de broussailles foulées.

Lennie dit :

— Raconte comment ça sera.

George avait écouté les bruits lointains. Il sembla un instant parler en homme d'affaires.

— Regarde par-dessus la rivière, Lennie, et je vais te raconter si bien que tu pourras presque le voir.

Lennie tourna la tête et regarda, par-dessus la rivière, les sombres pentes des monts Gabilan.

— On aura une petite ferme, commença George.

Il mit la main dans la poche de son veston et en sortit le Luger de Carlson. Il enleva le cran d'arrêt, et laissa main et revolver sur le sol, derrière Lennie. Il regarda la nuque de Lennie, l'endroit où l'épine dorsale rejoignait le crâne.

En amont, une voix d'homme appela, et un autre homme lui répondit.

— Va, dit Lennie.

George leva le revolver, et sa main tremblait, et, de nouveau, il laissa retomber sa main sur le sol.

— Allons, dit Lennie. Comment que ça sera ? On aura une petite ferme.

— On aura une vache, dit George. Et on aura peut-être bien un cochon et des poulets... et, dans le champ... un carré de luzerne...

— Pour les lapins, hurla Lennie.

— Pour les lapins, répéta George.

— Et c'est moi qui soignerai les lapins.

— Et c'est toi qui soigneras les lapins.

Lennie gloussa de bonheur.

— Et on vivra comme des rentiers.

— Oui.

Lennie tourna la tête.

— Non, Lennie. Regarde là-bas, par-dessus la rivière, c'est presque comme si on pouvait la voir, notre ferme.

Lennie obéit. George baissa les yeux vers le revolver.

Maintenant on entendait des pas dans les fourrés. George se retourna et regarda dans leur direction.

— Continue, George. Quand c'est-il qu'on pourra l'avoir ?

— Bientôt.

— Moi et toi.

— Toi... et moi. Tout le monde sera gentil avec toi. On n'aura plus d'embêtements. On n'fera plus de mal à personne, on n'volera plus personne.

Lennie dit :

— J'croyais que t'étais fâché avec moi, George.

— Non, dit George. Non, Lennie. J'suis pas fâché. J'ai jamais été fâché, et je le suis pas maintenant. Ça, c'est une chose dont j'veux que tu sois bien sûr.

Les voix se rapprochaient. George leva le revolver et écouta les voix.

Lennie supplia :

— Faisons-le tout de suite. Achetons-la tout de suite, notre petite ferme.

— Mais oui, tout de suite. J'vais le faire. On va le faire tous les deux.

Et George leva le revolver, l'immobilisa et en approcha le canon tout contre la nuque de Lennie. Sa main tremblait violemment, mais, bientôt, son visage se figea et sa main se raffermit. Il pressa la gâchette. La détonation gravit les collines et en redescendit. Lennie eut un soubresaut, puis il s'affaissa doucement, la face dans le sable, et il resta étendu sans le moindre frisson.

George tressaillit et regarda son arme, puis il la jeta derrière lui, très loin sur la rive, près du tas de vieilles cendres.

Les fourrés semblaient pleins de cris et de pas précipités. La voix de Slim hurla :

— George ! Où es-tu, George ?

Mais George était assis, très raide, sur la rive, et il regardait sa main droite qui venait de lancer le revolver. Le groupe déboucha dans la clairière, et Curley était en tête. Il vit Lennie étendu sur le sable.

— Tu l'as eu, nom de Dieu !

Il s'approcha et regarda Lennie, puis, se retournant, il regarda George.

— En plein dans la nuque, dit-il doucement.

Slim vint tout droit vers George et s'assit près de lui, tout près de lui.

— T'en fais pas, dit Slim. Y a des choses qu'on est obligé de faire, des fois.

Mais Carlson se tenait au-dessus de George.

— Comment que t'as fait ? demanda-t-il.

— J'l'ai fait, voilà, dit George d'un ton las.

— Est-ce qu'il avait mon revolver ?

— Oui, il avait ton revolver.

— Et tu le lui as enlevé, et tu l'as pris et tu l'as tué ?

— Oui, c'est ça.

La voix de George n'était plus qu'un murmure. Il ne cessait de regarder sa main droite qui avait tenu le revolver.

Slim saisit George par le coude.

— Viens, George. On va aller prendre un verre, tous les deux.

George accepta son aide pour se remettre debout.

— Oui, un verre.

Slim dit :

— Fallait que tu le fasses, George. J'te jure qu'il le fallait. Viens avec moi.

Il conduisit George jusqu'à l'entrée du sentier, et ils remontèrent vers la route.

Curley et Carlson les suivirent des yeux. Et Carlson dit :

— Qu'est-ce qu'ils peuvent bien avoir qui leur fait mal, ces deux-là, t'as idée, toi ?

De la photographie au texte

Olivier Tomasini

De la photographie au texte

Dos
de Dorothea Lange

... le fil conducteur de ce terrible roman...

Les mains de Lennie, le grand et pathétique demeuré, « un homme énorme, à visage informe, avec de grands yeux pâles et de larges épaules » qui fait la route pour chercher du travail avec George, son compagnon, un homme « petit et vif [...] avec des yeux inquiets et perçants [et] des traits marqués », sont au cœur de *Des souris et des hommes* de John Steinbeck. Ces mains apparaissent très vite dans le roman, ou plus exactement elles disparaissent puisque Lennie les cache, en partant à la recherche de sa carte de travail, dans les poches de côté de sa veste. Mais à défaut de carte, sa main rencontre autre chose qu'il tente en vain de dissimuler à George : une souris morte qu'il nie aussitôt avoir tuée : « Euh... Rien qu'une souris morte, George. J'l'ai pas tuée. Vrai ! J'l'ai trouvée morte. » Alors que George la jette dans les fourrés pour s'en débarrasser, Lennie profite d'une corvée de bois pour aller la rechercher. Mais l'autre veille : « Tu vas me donner cette souris, ou bien c'est-il que tu veux mon poing sur la gueule ? »

De nouveau Lennie tente de se disculper : « J'faisais rien de mal avec elle, George. J'faisais rien que la caresser. » On s'aperçoit vite que les souris qu'il affectionne ne font pas long feu avec lui, comme nous le révèle George : « … Et elle a cessé de te les donner. Tu les tuais toujours. » En effet, ne connaissant pas la force redoutable de ses mains, le grand et fort Lennie tue les animaux qu'il aime en les caressant : « Elles étaient si petites. […] J'les caressais, et puis bientôt, elles me mordaient les doigts, alors, je leur pressais un peu la tête, et puis elles étaient mortes… » Les mains de Lennie sont donc dès le début du roman synonymes de danger. Un danger dévastateur et innocent.

Elles interviennent à plusieurs reprises, apportant la mort sur leur passage. Le jeune chien donné par Slim n'y résiste pas : « Pourquoi c'est-il que tu t'es laissé tuer ? T'es pas aussi petit que les souris. J't'avais pas fait sauter bien fort. » Puis c'est le tour de la femme de Curley, qui prend peur de leur force et devient à son tour leur victime : « “Ne gueulez donc pas comme ça”, dit-il en la secouant, et le corps s'affaissa comme un poisson. »

Les mains de Lennie sont donc le fil conducteur de ce terrible roman. C'est par elles que l'histoire rebondit, se convulse, que les drames arrivent et que la douce brute court vers sa fin tragique : George, son protecteur, le tue pour qu'il échappe à la vengeance de Curley et à la pendaison.

… à la fois fortes par leur aspect et leur présence et inactives car maintenues dans le dos…

La photographie présente un homme de dos. Le dos de la veste, pratiquement cadré à bord perdu, prend tout l'espace de la photographie. Il paraît de cette manière encore plus massif. Cette représentation traduit une grande force physique, mais contrainte, coincée dans le cadre photographique. Examinons la veste :

elle semble usée et sans forme. Elle est froissée et n'a sûrement pas été confectionnée dans un tissu de qualité. Néanmoins elle fait partie d'un costume, ce qui laisse entendre que, malgré son aspect négligé, celui qui la porte a voulu bien s'habiller. Il s'est vêtu sans doute le mieux possible en fonction de ses maigres revenus, peut-être pour rencontrer un employeur.

On imagine ainsi le grand Lennie, essayant de faire bonne impression et de dissimuler sa faiblesse d'esprit, lorsqu'il voit son patron pour la première fois. Si la description vestimentaire de George et de Lennie n'est jamais faite par Steinbeck, l'auteur s'attarde assez longuement sur l'apparence de leur patron, le distinguant ainsi de ses employés : « Il portait un pantalon de coutil bleu, une chemise de flanelle, un gilet noir déboutonné et un veston noir. Il tenait ses pouces dans sa ceinture, de chaque côté d'une boucle d'acier carrée. Il était coiffé d'un vieux feutre brun, et il portait des bottes à hauts talons avec des éperons, preuve qu'il n'était pas un journalier. » Face à lui, le timide Lennie se tient sans doute comme sur cette photographie, les bras presque croisés à l'arrière reposant sur ses reins, dans une attitude de retenue et de soumission.

On a l'impression que, ne pouvant trouver leur place en dehors du cadre, les bras ont été forcés d'entrer dans l'espace imparti de la photographie, en se serrant dans le dos. À demi fermées, les mains, quant à elles, sont bien le sujet principal. Le cadrage inhabituel, épaules et jambes coupées, les privilégie en les faisant ressortir sur le fond sombre de la veste. Leurs ongles semblent se toucher d'un mouvement bref et nerveux qui trahit l'impatience et l'anxiété du personnage.

Elles nous renvoient à celles de Lennie, le simple d'esprit, mais surtout elles tiennent lieu de symbole : à la fois fortes par leur aspect et leur présence et inactives car maintenues dans le dos, elles représentent la force morale des métayers qui, à cette époque, se trouvent souvent dans l'incapacité de travailler ou soumis à des travaux extrêmement durs. Si on les regarde de plus près, elles semblent vraiment être celles d'un paysan. Elles sont épaisses et salies par la terre, vieillies avant l'âge. Leurs ongles sont endeuillés et ébréchés. Autant de signes qui évoquent le dur travail de la terre. Elles suggèrent également le destin tragique à court terme de Lennie : leur position est identique à celle d'un prisonnier que l'on vient d'arrêter, d'un coupable à qui l'on met les mains dans le dos et qui sera bientôt menotté.

... un des photographes les plus talentueux de sa génération...

Venue à la photographie un peu par hasard, portraitiste à San Francisco pendant les quinze premières années de sa carrière, l'auteur de cette photographie est une femme : Dorothea Lange (1895-1965). Elle n'aurait sans doute eu qu'une petite place, voire aucune, dans l'histoire de la photographie si elle avait continué ainsi sa vie professionnelle, car les photographes qui atteignent la notoriété sont rares et le talent souvent ne suffit pas pour faire partie des élus. Dans les années 1920, elle fait vivre sa famille de trois enfants grâce à la pratique de son métier, son mari, le peintre Maynard Dixon, n'ayant pas de revenus suffisamment réguliers. « J'étais un commerçant, dit-elle, je ne faisais rien de phénoménal... Je n'essayais pas d'être un grand photographe. »

Pourtant elle va se révéler être un des photographes les plus talentueux de sa génération, grâce à ce qu'elle appelle « le sens du lieu et du temps ». Les photographies qu'elle prend durant le krach boursier de 1929 gagnent en intensité et traduisent l'empathie qu'elle ressent face à une société mise en déroute par l'actualité. Dès 1933, sans avoir la moindre idée de la façon dont elle utilisera ses clichés, elle descend dans la rue pour photographier « les évidences de la Dépression ». Moins préoccupée par sa vie de famille qu'auparavant, elle se permet de renouveler ses sujets en se confrontant cette fois avec la réalité sociale. Surmontant son appréhension, elle n'hésite pas à aborder dans les rues les laissés-pour-compte, les chômeurs souvent déprimés et affamés par la crise, qui sont de plus en plus nombreux.

Bientôt, la séparation avec son mari et sa rencontre avec Paul Schuster Taylor, universitaire et économiste influent, aux convictions politiques affirmées, changent définitivement le cours de sa vie. Celle qui, pour son premier mari, était une épouse et une mère se change en une vraie partenaire pour le second : « L'attraction et l'accomplissement s'additionnèrent », disent-ils à propos de leur couple. Grâce à leur union et à leur collaboration, Lange devient un photographe capable de conférer à la photographie documentaire des qualités fondamentales : vérité et dignité. Avec lui, elle acquiert rapidement des connaissances approfondies sur l'état réel de la société américaine, qui l'aident à parvenir à encore plus d'authenticité. Il est vrai que la poliomyélite (dont elle souffre depuis l'âge de quinze ans et qui lui a laissé une claudication) l'a prédisposée à la lutte sociale et à la compassion : « J'étais physiquement handicapée… c'est peut-être ce qui m'est arrivé de plus important, ce qui m'a aidée, formée, orientée, instruite et aussi humiliée. »

… moins une question de sujet qu'une question d'approche…

Maintenant consciente que presque toute la nation américaine ne connaît pas la gravité de la Dépression, Lange — par ses photographies — se fait un devoir de révéler à l'ensemble de ses concitoyens la misère dans laquelle se trouvent d'autres hommes et femmes, en particulier les métayers du Sud, qui par milliers sont obligés d'immigrer vers l'ouest des États-Unis pour trouver du travail. C'est dans ce contexte qu'elle réalise une série de photographies de l'homme que l'on devine sur cette photo, alors qu'il fait route vers la Californie en juin 1935. Un autre cliché le montre également de dos, portant un chapeau, sac au dos, arpentant une route déserte dont le point d'horizon s'estompe. Mais c'est le premier cadrage qu'elle retient particulièrement. Plus resserré, il met en valeur ses mains. Sa silhouette n'est plus aussi découpée, sa tête a disparu : l'homme, en perdant son identité, devient un symbole.

« Pour moi, dit-elle, la photographie documentaire est moins une question de sujet qu'une question d'approche. L'important ce n'est pas ce qui est photographié mais comment… Ma propre approche repose sur trois considérations. Premièrement — ne toucher à rien ! Ce que je photographie, j'évite de le rudoyer, de l'altérer, de le manipuler. Deuxièmement — le sens de l'espace. Ce que je photographie, j'essaie de le représenter inséré, enraciné dans son environnement. Troisièmement — le sens du temps. Ce que je photographie, j'essaie de le montrer dans la relation au passé ou au présent. Mais au-delà de ces trois points, je garde à l'esprit cette citation du philosophe Francis Bacon punaisée sur la porte de mon laboratoire : “Considérer la réalité sans erreur ni confusion, sans substitution ni duperie est en soi plus estimable que de parvenir à des inventions." »

... Elle capte les regards, les attitudes et transforme le désarroi de ses modèles en beauté...

En campagne au sein de la FSA (*Fram Security Administration,* service de l'État chargé par le gouvernement de venir en aide aux populations touchées par la crise), qu'elle a intégrée grâce à Taylor, Dorothea Lange va prendre des images qui restent parmi les plus célèbres de ce siècle. Ses rapports avec Roy Striker, commanditaire des photographes de la FSA, sont alors constamment tendus. Ils rendent compte chez elle d'une disposition franche et radicale à s'engager aux côtés des défavorisés au lieu de s'inscrire dans une commande administrative qui se borne à retranscrire les effets de la Dépression par une vision allégorique. Elle tient aussi à réaliser elle-même ses tirages afin d'aller jusqu'au bout de son interprétation. Cherchant à projeter sa propre sensibilité pour transmettre une émotion forte, elle s'attache à photographier des individus en proie aux pires difficultés et souvent à la détresse. Elle capte les regards, les attitudes et transforme le désarroi de ses modèles en beauté. Ses portraits anonymes deviennent héroïques, un souffle épique transfigure les visages. Son approche est évidemment éloignée de celle de Walker Evans, autre grand photographe qui participe au projet, et qui cultive quant à lui l'abstraction et la distance pour une plus grande objectivité.

En 1939, la qualité de ses photographies séduit John Ford pour le film qu'il prépare à partir du roman de John Steinbeck, *Les Raisins de la colère.* En 1938, certaines d'entre elles avaient déjà complété une série de sept articles du même auteur, publiés par Simon J. Lubin Society et réédités quatre fois. Si le travail de la photographe rencontre si bien l'œuvre du romancier, ce n'est pas par une mise en correspondance uniquement intellectuelle, mais aussi historique. Pourtant, à la différence des *Raisins de la colère*, qui paraissent en avril 1939, et connaissent un immense succès, le livre de Dorothea Lange et Paul Taylor, *An American Exodus*, publié en même temps, n'a aucun retentissement. Sans doute arrive-t-il trop tard… La Seconde Guerre mondiale mobilise maintenant les Américains et l'économie est repartie. Le livre, mis en vente en 1940, est soldé dès 1941 pour à peine un dollar.

Aujourd'hui — revanche de l'Histoire — il vaut plus de cinq cents dollars… Lange, photographe d'exception, est entrée dans l'Histoire par son engagement pour une cause sociale. Sa générosité et son talent font totalement écho aux qualités morales de Steinbeck. Elle a modelé pour l'Amérique des personnages dignes des héros de ce grand auteur… qui lui aurait, dit-on, emprunté des impressions visuelles. Gageons que cette photographie en faisait partie.

Le texte en perspective

Magali Wiéner

Vie littéraire

Le roman comme peinture de la société

JOHN STEINBECK, par son souci de montrer les difficultés que rencontre la société américaine, s'inscrit dans une veine littéraire que l'on pourrait qualifier de naturaliste, et qui voit le jour à la fin du XIXe siècle aux États-Unis, en écho à l'œuvre d'Émile Zola en France. Ce courant visait à imiter la nature, en s'appuyant notamment sur la science. On peut par exemple citer Stephen Crane (*The Red Badge of Courage*, 1895), Theodore Dreiser (*Sister Carrie*, 1900), Frank Norris (*McTeague*; *A Story of San Francisco*, 1900) et Upton Sinclair (*The Jungle*, 1906), qui s'attachent à travers des thèmes divers — la guerre, la grande ville, la force des instincts et les conditions de vie des ouvriers — à saisir l'évolution de la société américaine.

Les écrivains de l'entre-deux-guerres vont poursuivre l'œuvre de leurs prédécesseurs, et faire — à travers leurs romans où s'aiguise un regard critique — le procès d'une Amérique qui les a déçus, profondément marqués qu'ils sont par deux traumatismes qui ponctuent les trois premières décennies du XXe siècle : la Grande Guerre et la Dépression de 1929, drames mondiaux auxquels s'ajoute aux États-Unis la terrible sécheresse — le *Dust Bowl* — qui frappe le Sud-Ouest et chasse plus de 350 000 personnes de l'Oklahoma, du Texas ou de l'Arkansas vers la Californie. Ces écrivains puisent leur inspiration dans l'observation d'un système autrefois érigé comme modèle et qui désormais produit des démunis et des laissés-pour-compte.

1.

La crise des valeurs

La Première Guerre mondiale (1914-1918), ses millions de morts et de blessés, les images et les témoignages d'une souffrance inimaginable, associés à une inutile boucherie humaine, laissent des traces indélébiles dans les mémoires de ces jeunes adultes qui se sont engagés comme Hemingway ou Dos Passos et sont revenus blessés. Ils se sentent floués et versent parfois dans le pessimisme. Ils ne croient plus en rien et appartiennent aux écrivains de la « Génération perdue » (selon l'expression de l'écrivain Gertrude Stein). Ils nourrissent leurs romans de désillusions, de révoltes et d'échecs ; brossent sans complaisance une satire de l'idéal américain et des valeurs communément défendues. Pour eux le monde moderne n'a plus de sens, seule la décadence gouverne, ce qui fait dire à Scott Fitzgerald : « tous les dieux morts, toutes les guerres menées, toutes les croyances en l'homme ébranlées ». Ces écrivains, souvent attirés par l'Europe, s'y sont pour beaucoup exilés un temps. Leur œuvre est traversée par l'errance, le dégoût de soi et le désarroi face à un monde désenchanté. Jean-Paul Sartre parle ainsi d'un des écrivains de cette génération, Dos Passos, dans son livre *Situations I* (1947) :

> Toutes les existences qu'il retrace se sont refermées sur elles-mêmes. [...] Ces vies humbles et vagues, nous ne

cessons pas de les sentir comme des Destins. Notre propre passé n'est point tel : il n'est pas un de nos actes dont nous ne puissions aujourd'hui encore transformer la valeur et le sens. Mais ces beaux objets bigarrés que Dos Passos nous présente, ils ont, sous leurs violentes couleurs, quelque chose de pétrifié : leur sens est fixé. Fermez les yeux, essayez de vous rappeler votre propre vie, essayez de vous la rappeler *ainsi* : vous étoufferez. C'est cet étouffement sans secours que Dos Passos a voulu exprimer.

Gertrude Stein (1874-1946) quitte très tôt, dès 1902, les États-Unis pour l'Europe. À Montparnasse, elle réunit autour d'elle de grands peintres (Picasso, Matisse) et des écrivains qu'elle va fortement influencer. Hemingway dira même qu'elle est celle qui lui a appris à écrire. Son œuvre est moins connue : elle commence à rencontrer son public avec *Autobiographie d'Alice Toklas* ; admiratrice de Flaubert, qu'elle a traduit en anglais, elle publie un recueil de nouvelles, *Trois vies,* inspiré de *Trois contes,* où elle raconte la vie de trois femmes qui échouent.

Francis Scott Fitzgerald (1896-1940) est l'un des écrivains les plus en vue de sa génération. Dans ses romans *L'Envers du paradis, Gatsby le Magnifique* et *Tendre est la nuit,* il dépeint une société désenchantée ; ses personnages, aigris et désabusés, souvent riches, finissent dans l'ennui et le vice. Fitzgerald, lui-même, après avoir connu un très grand succès, sombre dans l'alcoolisme et meurt prématurément à quarante-quatre ans.

John Dos Passos (1896-1970), par son écriture fragmentée mêlant toutes sortes de discours, montre une Amérique en crise. Ses romans, *Manhattan Transfer* et *USA* — virulentes critiques de la société et de la politique —, dénoncent les valeurs décadentes qui régissent les États-Unis et ne peuvent mener qu'à la mort. Ses personnages sont voués à l'errance : « Peu importe où je vais ; je ne peux aller nulle part », dit un des personnages dans *Manhattan Transfer.*

Ernest Hemingway (1899-1961) est sans doute l'écrivain qui illustre le mieux la « Génération perdue » de Gertrude Stein. Ses romans, écrits dans une langue concise, épurée, presque journalistique, sont fortement influencés par ses expériences personnelles au combat pendant la Première Guerre mondiale (*L'Adieu aux armes*), par ses voyages en Espagne puis en Afrique. On peut également citer un de ses derniers romans, *Le Vieil Homme et la mer*, qui, de façon allégorique, illustre le face-à-face avec la mort et le combat permanent des hommes pour échapper à la fatalité du non-sens. Il reçut le prix Nobel de littérature en 1954, avant de se suicider en 1961.

2.

Quand la misère gagne

Dix ans après la fin de la Première Guerre mondiale, les États-Unis sont frappés par la Grande Dépression, crise boursière qui entraîne une crise économique mondiale sans précédent. Des millions de gens se retrouvent au chômage. Les personnes du monde rural, victimes qui plus est de la sécheresse, sont frappées de plein fouet. Elles gagnent les routes en carriole, en voiture ou à pied et partent vers l'Ouest dans l'espoir de trouver une terre riche et accueillante qui mettrait fin à leur cauchemar. L'afflux de ces nombreuses familles dans le dénuement le plus complet pose un véritable problème : les champs de Californie ne peuvent donner du travail à tous ces bras. Le sort de ces milliers d'exilés est au centre des œuvres des artistes engagés des années 1930. Dorothea Lange, célèbre photographe, immortalise des centaines de visages émaciés, au regard las, qui traduisent le désespoir, la peur ou la faim sur des terres arides et hostiles.

À ces photographies qui montrent de manière poignante l'épreuve que fut l'exode, répondent des auteurs qui eux aussi vont se rapprocher du documentaire pour alimenter leur veine romanesque. Ainsi Steinbeck entreprend-il une fresque en trois volets sur le problème des ouvriers agricoles en Californie. C'est avec cette idée qu'il publie, en 1936, un roman engagé, *En un combat douteux,* qui montre les ouvriers agricoles en grève dans une lutte sociale très organisée. Quand, l'année suivante, il publie *Des souris et des hommes,* il laisse de côté l'engagement politique mais conserve sa volonté de mettre en scène ces ouvriers, mal insérés, rejetés, frustrés, pour évoquer la misère humaine et la solitude. Il s'attache également à souligner le clivage très net entre les ouvriers et les patrons. Steinbeck construit son roman sur une réalité sociale. En effet, on voit rapidement errer en Californie des hommes ne possédant qu'une simple couverture pour tout bagage, et attendant que les récoltes soient prêtes à être ramassées. Et quand par chance ils sont embauchés, leur salaire est dérisoire, les conditions de logement déplorables et l'espoir d'une promotion inexistant. Parmi ces ouvriers itinérants, on trouve à peu près 25 % de simples d'esprit, solitaires et laissés-pour-compte, qui seront symbolisés par le personnage de Lennie. Steinbeck complète cette fresque avec son roman épique *Les Raisins de la colère,* où il peint avec justesse le sort réservé à toute une famille qui quitte l'Oklahoma suite au *Dust Bowl* pour gagner la Californie.

Le roman devient alors l'espace idéal pour dénoncer, en soutenant la cause des chômeurs, la dureté des conditions de travail et montrer la face sombre du capitalisme triomphant, le monde des exclus, l'Amérique des pauvres. John Steinbeck s'inscrit parmi les écrivains qui ont décidé de mettre au jour les failles, les insuffisances et les injustices de la société américaine. D'autres romans, comme ceux d'Erskine Caldwell ou de James T. Farrell, ont aussi pour héros des prolétaires usés par la misère : ce sont de véritables plaidoyers contre le chômage, accusant une société qui n'a pu tenir ses promesses, où la misère des uns accuse la richesse des autres, où la démocratie semble en faillite, de façon irréversible. Les événements politiques et économiques ont mis à mal le rêve américain d'un bonheur et d'une prospérité accessibles à tous, d'une société équitable.

Erskine Caldwell (1903-1987) peint, dans une simplicité et une rigueur tranchantes, le combat des « Blancs pauvres » du Sud. Des fermiers acculés par la pauvreté à la faim et à la mendicité, qui luttent pour leur survie et mènent une vie misérable qui finit par devenir abjecte. Contrairement à Faulkner, qui montre un Sud grandiose et tragique, Caldwell — dans ses deux romans les plus connus : *La Route au tabac* (*Tobacco Road*) et *Le Petit Arpent du Bon Dieu* (*God's Little Acre*) — décrit un Sud désespéré et cynique où le déterminisme social n'est que trop visible : ces hommes ne gagneront jamais d'argent, le système ne leur laisse aucune place mais peut les faire basculer dans le crime et la perversion. Ils sont les victimes innocentes d'une énorme machine qui broie ses déchets.

James T. Farrell (1904-1979) place l'action de sa trilogie — *Le Jeune Lonigan, La Jeune Humanité de Studs Lonigan* et *Le Jour du jugement* — à Chicago, dans les milieux prolétaires et pauvres. Il montre les dégâts que peuvent causer le dénuement matériel et la misère morale ou culturelle, résultat d'un travail plus proche de l'esclavage que d'un emploi digne de ce nom. Ses personnages finissent par être déshumanisés, des carcasses vides au service d'une logique de la production et du profit.

3.

L'échec du rêve américain ?

Cette littérature engagée défend le droit des hommes à la dignité, refuse la misère, et dénonce un capitalisme qui exploite des vies et rend caduc le rêve américain : « la vie, la liberté et la quête du bonheur » selon la Déclaration d'indépendance. Les thèmes choisis de manière récurrente par ces auteurs — la misère, la mort, l'inégal combat des petits face aux grands, la famine — montrent que ce rêve ne s'accorde nullement avec la réalité : c'est le décalage insupportable entre la prospérité affichée par ceux qui profitent du libéralisme, et la pauvreté des ouvriers sans qui aucun profit ne serait possible. Néanmoins tous les auteurs ne versent pas dans un pessimisme inexorable ; certains, comme John Steinbeck — qui dit à propos de Lennie : « le désir de Lennie d'une terre n'est pas censé représenter la folie mais l'aspiration confuse et puissante de tous les hommes » — ou Sherwood Anderson, essaient de montrer que l'homme reste habité par le rêve d'un bonheur partagé, un rêve qui peut le rendre meilleur et autorise peut-être un regard optimiste.

Sherwood Anderson (1876-1941) publie *Winesburg, Ohio* et *Rire noir* qui décrivent bien le décalage entre ce que veulent les gens et ce que le capitalisme leur offre. Ce sont des personnages frustrés en mal de communication, enfermés dans l'univers confiné du Midwest américain, mais qui auraient la possibilité de vaincre leurs difficultés si on leur en laissait la chance.

John Steinbeck voudrait que brille en ses romans l'espoir de chacun de voir un jour un monde plus juste, plus fraternel ; la littérature devient un engagement pour redonner courage à ceux qui sont au bord du chemin, un plaidoyer pour la liberté et le bonheur. L'optimisme de Steinbeck se fonde sur sa foi en l'homme, et sur la force du rêve — américain ou pas — qui nous fait avancer.

4.

La foi en l'homme

> Il faut essayer de comprendre les hommes. Si deux hommes essayent de se comprendre, ils seront bons l'un envers l'autre. Bien connaître un homme ne conduit jamais à la haine, mais presque toujours à l'amour.

Voilà ce que dit John Steinbeck, quand il prend la parole pour tenter de définir la mission qu'il se fixe en tant qu'écrivain. Il affirme ainsi avec conviction et enthousiasme son amour des hommes, sa volonté de toujours mieux les connaître pour mieux les aimer et mieux les peindre. Ces hommes qu'il met en scène, ce sont ceux qu'il voit, ceux qui souffrent, ceux qui ne profitent pas des fruits du progrès mais en sont plutôt victimes. John Steinbeck décide de défendre leur cause, de mettre au jour leurs conditions de travail déplorables et la misère qui y est liée :

> La révolution la plus décisive s'est produite lorsque les hommes se sont aperçus qu'ils avaient chacun une âme. J'ai foi en l'individu, et je me battrai pour défendre le droit qui est le sien d'agir en tant qu'individu, sans subir de pression d'où que ce soit. La véritable révolte est là.

L'écrivain à sa table de travail

Une « pièce-roman » antique

1. Du réel à l'universel

1. *Une anecdote vécue*

Des souris et des hommes est le deuxième volet du triptyque qu'entend consacrer Steinbeck aux ouvriers agricoles. L'écrivain pense que la puissance évocatrice de son texte passe avant tout par son aspect réaliste : les habitudes des itinérants, les liens entre patron et ouvriers, le baraquement, les paysages avoisinants. Il n'hésite donc pas à puiser dans sa propre expérience. Véritable homme de terrain, il connaît bien le monde agricole, ayant lui-même, dans sa jeunesse, passé plusieurs étés comme garçon de ferme ou comme saisonnier pour financer ses études. À cette époque-là, il partage le quotidien des itinérants et émigrés du Sud-Ouest qui ont fui la sécheresse. D'emblée, il a pris en sympathie ces hommes courageux que la misère malmène. De là vient sans doute le regard généreux et plein de compassion qu'il porte sur George et Lennie, travailleurs solitaires et déracinés. Outre ses connaissances des caractères et des lieux, il s'inspire d'une scène à laquelle il a assisté, et qu'il raconte à un journaliste du *New York Times* en 1937 :

> Lennie existe réellement. Il se trouve actuellement dans un asile d'aliénés en Californie. J'ai travaillé à ses côtés pendant de nombreuses semaines. Il n'a pas tué une fille. Il a tué un contremaître de la ferme. Il s'est mis en rogne parce que le patron avait viré son copain et il lui a planté une fourche dans le ventre. Je n'ose vous dire à combien de reprises. Je l'ai vu faire. Nous n'avons pas pu l'arrêter avant qu'il ne fût trop tard.

2. *Une dimension philosophique*

Le premier titre choisi par Steinbeck, *Quelque chose qui s'est passé*, illustre parfaitement sa volonté première de se mettre à distance d'un événement tragique dont il avait été témoin, de livrer les faits bruts sans jugement moralisateur. En adoptant finalement pour son titre un vers tronqué d'un poème de Robert Burns (1759-1796), Steinbeck affiche, en outre, un désir de dépasser le caractère anecdotique de son histoire pour atteindre l'universel. Ce vers : « Les plans les mieux conçus des souris et des hommes souvent ne se réalisent pas », donne au roman une dimension philosophique. La vie des souris et des hommes est aussi imprévisible que riche de promesses, il faut seulement avoir à l'esprit que tout peut être bouleversé par un coup du Destin.

2.

Une forme littéraire neuve : la pièce-roman

Quand Steinbeck se lance dans la rédaction de *Des souris et des hommes*, il est conscient que la réussite de son projet est fortement liée à la forme littéraire choisie : il le veut dialogué et court car l'action doit être ramassée. Naturellement et de manière très novatrice, il va créer une forme hybride qui tient autant du roman que du théâtre, comme il l'explique à ses agents en avril 1936 :

> L'œuvre que je compose en ce moment n'est ni un roman ni une pièce mais une espèce de pièce jouable. Écrite sous forme romanesque, mais découpée et mise en scène de telle sorte qu'elle peut être jouée telle quelle. Elle ne ressemblerait pas aux autres pièces car elle ne suit pas la forme des actes, remplacés par des chapitres. Les descriptions peuvent être utilisées comme didascalies… Les pièces sont difficiles à lire de sorte que ceci sera à la fois un roman et une pièce.

Il donnera lui-même une définition de ce nouveau genre qu'on pourrait appeler pièce-roman, dans une revue de théâtre, *The Stage* (15 janvier 1938) : « Une expérience, un effort vers la composition d'un roman qui pourrait être transposé tel quel sur la scène, ou d'une pièce qui pourrait se lire comme un roman. »

1. *Du roman…*

Choisir le roman, c'est pour Steinbeck choisir un public nombreux et divers, faire un choix démocratique, là où le théâtre ne s'adresse encore qu'à une élite. Cette forme littéraire lui permet également de creuser davantage ses personnages et surtout le cadre de l'action en insérant des descriptions presque lyriques de cette région qu'il aime tant. Il n'hésite pas non plus, en accord avec le titre choisi, à égrener quelques descriptions poétiques, notamment de la lumière, qui sont plus que de simples didascalies.

2. *… à la pièce de théâtre*

Les aspects théâtraux du roman apparaissent très rapidement. Soucieux de se présenter comme metteur en scène, le narrateur n'intervient que très rarement dans son récit. L'ensemble de la narration est externe ; le lecteur assiste, comme au théâtre, à ce qui se déroule sous ses yeux, et devient presque spectateur. La volonté clairement énoncée de faire de son texte une pièce de théâtre le contraint à placer l'action dans les paroles de ses personnages : tout est dialogué, rien n'est analysé par un narrateur omniscient. Steinbeck travaille sur la langue et le rythme des dialogues, et restreint le nombre des personnages : « Ma pièce ne comprendra que deux personnages majeurs, deux personnages mineurs et deux personnages accessoires. » Il porte une attention toute particulière au style ; au théâtre, dit-il, « un style négligé est impossible, car le public ne le supporterait pas. Également impossibles sont les hors-d'œuvre, les longueurs, les dissertations, car le public s'impatienterait ».

On juge son projet réussi puisque le roman est immédiatement considéré comme jouable. La Theater Union de San Francisco le monte sans y faire une retouche : la première représentation a lieu le 21 mai 1937, et la pièce reste à l'affiche pendant deux mois. L'efficacité de la pièce ne fait toutefois pas l'unanimité et George Kaufman, metteur en scène à New York, pense utile de remanier certains passages, de revoir l'importance de certains personnages et propose dès lors à Steinbeck de reprendre son texte en vue d'une adaptation de grande ampleur à Broadway. Voici quelques-unes de ses suggestions :

> La femme de Curley devrait être plus étoffée… Elle est la force motivante de l'ensemble et devrait surtout avoir plus d'ampleur. Surtout, il me paraît essentiel que la bagarre de Curley-Lennie se déclenche à cause de la fille.

La pièce est montée pour la première fois le 23 novembre 1937 au Music Box Theater de New York. Son succès est alors instantané et immense : 207 représentations, et un couronnement par le *New York Drama Critics Award.*

3.

Comme un drame antique

La dynamique même de ce roman évoque une pièce de théâtre, et plus particulièrement la tragédie grecque. Le dénouement tragique est inscrit dès l'ouverture du roman; ainsi l'intrigue ressemble-t-elle étrangement à l'accomplissement d'un destin contre lequel on ne peut rien, une marche implacable et inexorable vers la catastrophe finale, le double meurtre en miroir : celui de la femme de Curley par Lennie, et celui de Lennie par George.

1. *La machine infernale*

Le lecteur comprend très vite que Lennie est simple d'esprit. Sa gentillesse doublée d'une profonde naïveté ne masque pas longtemps la force extraordinaire qu'il possède et ne sait pas maîtriser. Dès le début du roman, on sait que Lennie caresse les souris et finit par les tuer sans le vouloir : ce qui peut sembler un détail est en fait l'annonce du drame. Les phrases du début s'entendent différemment quand on connaît la fin :

> — Qu'est-ce que tu peux bien faire d'une souris morte ?
> — J'pouvais la caresser avec mon pouce pendant qu'on marchait, dit Lennie.

> — Ben, tu te dispenseras de caresser des souris quand tu marches avec moi.

Or Lennie ne peut justement pas s'en dispenser : un désir le pousse systématiquement à détenir ce qui lui est doux. Mais sa caresse est mortelle : « tu l'as toute abîmée à force de la caresser », lui dit George. La douceur du pelage du chiot annonce la chevelure de la femme en rouge, d'autant que le lecteur sait désormais que Lennie a commis l'irréparable avec une autre femme en rouge… La machine infernale est en marche, il ne peut échapper à la force meurtrière qui l'habite.

2. *La règle des trois unités*

La rigueur de la construction romanesque épouse presque les contraintes du théâtre classique : unité de lieu, de temps et d'action.

Le livre s'ouvre et se ferme au bord d'une rivière assez longuement décrite (l'effet de symétrie est saisissant) ; quant à l'action, elle est concentrée dans un seul lieu, le ranch. Un lieu étriqué, où la promiscuité engendre conflits, jalousies et frustrations. Les échanges se passent d'abord dans le baraquement puis dans l'écurie. Cet endroit est un piège, une souricière.

Le temps de l'action est ramassé et linéaire, les seuls retours en arrière qui éclairent le présent se trouvent dans les dialogues. Il est aisé de reconstituer la progression chronologique d'autant que Steinbeck, en metteur en scène attentif, y attache une grande importance. Les différents moments de la journée sont souvent accompagnés d'un détail évoquant la lumière, aisément transposable à la scène grâce aux projecteurs. George et Lennie s'endorment au bord de la rivière le jeudi soir (chap. 1). Ils parviennent au ranch le vendredi matin (chap. 2), Lennie broie la main de Curley le vendredi soir (chap. 3), Lennie s'aventure dans l'écurie le samedi soir (chap. 4), le meurtre a lieu le dimanche après-midi (chap. 5), la mort de Lennie en fin d'après-midi (chap 6). On voit ainsi que l'action à proprement parler se déroule sur un temps très court qui souligne son caractère implacable, et les épisodes s'enchaînent sans temps morts : cela devait avoir lieu.

4.

Le roman de la parole

La pièce-roman se construit sur la parole des personnages. L'action s'éclaire par des bribes de paroles échangées qui construisent, par un jeu d'échos, les événements à venir. Steinbeck, toujours soucieux de vraisemblance, choisit également de donner à ces paroles rapportées un accent particulier, celui des ouvriers agricoles tel qu'il l'a entendu quand il travaillait avec eux : « J'ai moi-même été travailleur saisonnier pendant un certain temps. J'ai travaillé dans la région où se situe l'histoire », dit-il à un journaliste. Il veut une langue vraie, souvent fautive, mais profondément orale. C'est la langue populaire, abrupte, chargée d'argot, qui contraste avec l'écriture littéraire des descriptions qui précèdent les rencontres entre les personnages. Steinbeck donne une importance particulière au rythme, aux sonorités, à la cadence des échanges : un souci du « sonner juste » l'anime. Pour obtenir le meilleur rendu possible, Steinbeck dicte son texte sur un magnétophone, puis le corrige et l'écrit. Le texte est alors déjà théâtral, fait pour être dit par un acteur.

5.

Une fable morale : quelle place pour le Bien et le Mal ?

Si Steinbeck, dans *Des souris et des hommes,* a délaissé la fresque sociale, c'est sans doute pour mieux montrer la force de l'allégorie. On peut considérer que Lennie est l'image de la pulsion de mort incontrôlable que chacun possède en lui et ne parvient pas toujours à maîtriser. Néanmoins, la morale du roman reste en suspens. Steinbeck aborde la question mille fois traitée du Bien et du Mal, mais à la fin du roman il n'est pas évident de savoir lequel l'emporte sur l'autre. Lennie incarne l'innocence et pourtant il fait le mal : il ne peut caresser sans tuer, il ne peut aimer sans faire peur, sans brutaliser. Cela revient-il à dire que, selon Steinbeck, l'innocence est impossible ? Par ailleurs, George commet un meurtre, son action semble même préméditée. Il justifie son acte en se substituant à la loi et en supprimant les éléments dangereux du groupe, mais que signifie son geste en regard de celui de Lennie ?

Steinbeck ne donne pas de réponse, c'est là toute la force de son roman-pièce. La morale n'est pas figée, elle est à construire en s'appuyant sur la complexité et la diversité des comportements humains.

Groupement de textes thématique

Le démon intérieur

EN METTANT EN SCÈNE le personnage de Lennie, Steinbeck donne à voir un autre visage de l'homme. Lennie est différent et tous le devinent. Sa démarche, son regard, sa compréhension très partielle des situations, son langage limité et très répétitif, son besoin de repères simples martelés sans cesse pour ne pas les oublier, et surtout son incapacité à se maîtriser, le distinguent des autres et font de lui une menace pour le groupe parce qu'il « ne connaît pas les règles ». Très vite, on apprend qu'il ne connaît pas sa force et qu'il peut parfois y aller « trop fort » : c'est presque sans s'en apercevoir qu'il tue d'abord des petits animaux (souris, lapins, chiot) puis la femme en rouge, ce qui fait dire à George : « Mais il lui arrive toujours des sales affaires, parce qu'il est si bête. »

Pourtant, le lecteur ressent une vive sympathie pour cet homme à part, qu'il sent fragile et trop facilement rejeté. D'ailleurs, George cherche plusieurs fois à le défendre pour rassurer les autres : « Il est pas dingo. Il est con comme la lune, mais il est pas fou », et il le compare à un enfant par son manque d'expérience mais aussi par son innocence : « oui, il est tout comme un gosse ».

Ainsi Lennie semble être l'objet d'une violence intérieure qu'il ne contrôle pas, d'une panique qui s'empare de lui et le pousse à faire mal sans que vraiment il le veuille. Dans ces moments-là, il est comme une marionnette entre les mains d'une puissance qui le dépasse, si bien qu'on hésite à le considérer comme responsable.

Nombreux sont les écrivains qui se sont intéressés à des personnages qui ressemblent à Lennie. Fragiles, parfois même attachants dans leur naïveté, ils ne parviennent pas facilement à s'intégrer car leur présence effraie, leurs réactions sont imprévisibles et peuvent être dramatiques. Ces hommes sont comme habités par une force insondable qui les guide malgré eux et les entraîne dans des voies sans issue. Pétris de pulsions de violence irrépressibles, soumis à des colères fracassantes, incontrôlables autant qu'inexplicables, ces hommes ou femmes sont marginalisés, enfermés dans un monde intérieur qui les isole, finissent parfois internés dans des institutions psychiatriques. Dans tous les cas, on ressent leur très grande solitude, un décalage constant entre ce qui est, ce qu'ils pensent et ce qu'ils voudraient vivre, une incompréhension réciproque : eux ne comprennent pas les règles d'un monde qui les nie et les exclut souvent sans réellement chercher à les connaître et encore moins à les soigner.

Nous avons réuni ici plusieurs textes qui tentent d'illustrer cette face sombre de l'homme qui perd la maîtrise de lui-même et commet l'irréparable sans le vouloir, comme Lennie qui pensait caresser une femme alors qu'il l'étranglait. Différentes figures apparaissent : les violents qui tuent dans une pulsion, ceux qu'on interne avant qu'ils ne commettent l'irréparable, et ceux qui sont lucides et se voient aux prises avec un démon intérieur qu'ils ne peuvent dompter ou soumettre.

Charles BAUDELAIRE (1821-1867)

« Spleen », LXXVIII (1861)

Les Fleurs du Mal

(La bibliothèque Gallimard n° 38)

Charles Baudelaire, grand poète du XIXe siècle, transcrit dans certains poèmes l'angoisse de la folie qui le guette et le jette dans un désespoir insondable.

Quand le ciel bas et lourd pèse comme un couvercle
Sur l'esprit gémissant en proie aux longs ennuis,
Et que de l'horizon embrassant tout le cercle
Il nous verse un jour noir plus triste que les nuits ;

Quand la terre est changée en un cachot humide,
Où l'Espérance, comme une chauve-souris,
S'en va battant les murs de son aile timide
Et se cognant la tête à des plafonds pourris ;

Quand la pluie étalant ses immenses traînées
D'une vaste prison imite les barreaux,
Et qu'un peuple muet d'infâmes araignées
Vient tendre ses filets au fond de nos cerveaux,

Des cloches tout à coup sautent avec furie
Et lancent vers le ciel un affreux hurlement,
Ainsi que des esprits errants et sans patrie
Qui se mettent à geindre opiniâtrement.

— Et de longs corbillards, sans tambours ni musique,
Défilent lentement dans mon âme : l'Espoir,
Vaincu, pleure, et l'Angoisse, atroce, despotique,
Sur mon crâne incliné plante son drapeau noir.

Émile ZOLA (1840-1902)

L'Assommoir (1877)

(Folio classique n° 3303)

Zola peint dans L'Assommoir *les ravages que provoque l'alcool. Coupeau devient fou, il est pris de crises dangereuses et finit interné à Sainte-Anne, hôpital psychiatrique. Un jour sa femme, Gervaise, vient lui rendre visite. Elle reste pétrifiée par le spectacle qui s'offre à elle.*

Cependant, un gardien conduisit Gervaise. Elle montait un escalier, lorsqu'elle entendit des gueulements qui lui donnèrent froid aux os.
« Hein ? il en fait une musique ! dit le gardien.
— Qui donc ? demanda-t-elle.
— Mais votre homme ! Il gueule comme ça depuis avant-hier. Et il danse, vous allez voir. »
Ah ! mon Dieu ! quelle vue ! Elle resta saisie. La cellule était matelassée du haut en bas ; par terre, il y avait deux paillassons, l'un sur l'autre ; et, dans un coin, s'allongeaient un matelas et un traversin, pas davantage. Là-dedans, Coupeau dansait et gueulait. Un vrai chienlit de la Courtille, avec sa blouse en lambeaux et ses membres qui battaient l'air ; mais un chienlit pas drôle, oh ! non, un chienlit dont le chahut effrayant vous faisait dresser tout le poil du corps. Il était déguisé en un-qui-va-mourir. Cré nom ! quel cavalier seul ! Il butait contre la fenêtre, s'en retournait à reculons, les bras marquant la mesure, secouant les mains, comme s'il avait voulu se les casser et les envoyer à la figure du monde. On rencontre des farceurs dans les bastringues, qui imitent ça ; seulement, ils l'imitent mal, il faut voir sauter ce rigodon des soûlards, si l'on veut juger quel chic ça prend, quand c'est exécuté pour de bon. La chanson a son cachet aussi, une engueulade continue de carnaval, une bouche grande ouverte lâchant pendant des heures les mêmes notes de trombone enroué. Coupeau, lui, avait le cri d'une bête dont

on a écrasé la patte. Et, en avant l'orchestre, balancez vos dames !

« Seigneur ! qu'est-ce qu'il a donc ?... qu'est-ce qu'il a donc ?... » répétait Gervaise, prise de taf.

Un interne, un gros garçon blond et rose, en tablier blanc, tranquillement assis, prenait des notes. Le cas était curieux, l'interne ne quittait pas le malade.

« Restez un instant, si vous voulez, dit-il à la blanchisseuse ; mais tenez-vous tranquille... Essayez de lui parler, il ne vous reconnaîtra pas. »

Coupeau, en effet, ne parut même pas apercevoir sa femme. Elle l'avait mal vu en entrant, tant il se disloquait. Quand elle le regarda sous le nez, les bras lui tombèrent. Était-ce Dieu possible, qu'il eût une figure pareille, avec du sang dans les yeux et des croûtes plein les lèvres ? Elle ne l'aurait bien sûr pas reconnu. D'abord, il faisait trop de grimaces, sans dire pourquoi, la margoulette tout d'un coup à l'envers, le nez froncé, les joues tirées, un vrai museau d'animal. Il avait la peau si chaude, que l'air fumait autour de lui ; et son cuir était comme verni, ruisselant d'une sueur lourde qui dégoulinait. Dans sa danse de chicard enragé, on comprenait tout de même qu'il n'était pas à son aise, la tête lourde, avec des douleurs dans les membres.

Gervaise s'était approchée de l'interne, qui battait un air du bout des doigts sur le dossier de sa chaise.

« Dites donc, monsieur, c'est sérieux alors, cette fois ? »

L'interne hocha la tête sans répondre.

« Dites donc, est-ce qu'il ne jacasse pas tout bas ?... Hein ? vous entendez, qu'est-ce que c'est ?

— Des choses qu'il voit, murmura le jeune homme. Taisez-vous, laissez-moi écouter. »

Guy de MAUPASSANT (1850-1893)

« Lui ? »

Les Sœurs Rondoli et autres nouvelles (1883)

(Folio classique n° 3722)

Le narrateur écrit à son ami qu'il va se marier mais les raisons de son mariage ne sont pas celles qu'on attend habituellement.

Oh ! tu ne me comprends pas encore.

Je n'ai pas peur d'un danger. Un homme entrerait, je le tuerais sans frissonner. Je n'ai pas peur des revenants ; je ne crois pas au surnaturel. Je n'ai pas peur des morts ; je crois à l'anéantissement définitif de chaque être qui disparaît.

Alors !... oui. Alors !... Eh bien ! J'ai peur de moi ! j'ai peur de la peur ; peur des spasmes de mon esprit qui s'affole, peur de cette horrible sensation de la terreur incompréhensible.

Ris si tu veux. Cela est affreux, inguérissable. J'ai peur des murs, des meubles, des objets familiers qui s'animent, pour moi, d'une sorte de vie animale. J'ai peur surtout du trouble horrible de ma pensée, de ma raison qui m'échappe brouillée, dispersée par une mystérieuse et invisible angoisse.

Je sens d'abord une vague inquiétude qui me passe dans l'âme et me fait courir un frisson sur la peau. Je regarde autour de moi. Rien ! Et je voudrais quelque chose ! Quoi ? Quelque chose de compréhensible. Puisque j'ai peur uniquement parce que je ne comprends pas ma peur.

Je parle ! j'ai peur de ma voix. Je marche ! j'ai peur de l'inconnu de derrière la porte, de derrière le rideau, de dans l'armoire, de sous le lit. Et pourtant je sais qu'il n'y a rien nulle part.

Je me retourne brusquement parce que j'ai peur de ce qui est derrière moi, bien qu'il n'y ait rien et que je le sache.

Je m'agite, je sens mon effarement grandir ; et je m'en-

ferme dans ma chambre et je m'enfonce dans mon lit, et je me cache sous mes draps et blotti, roulé comme une boule, je ferme les yeux désespérément, et je demeure ainsi pendant un temps infini avec cette pensée que ma bougie demeure allumée sur ma table de nuit et qu'il faudrait pourtant l'éteindre. Et je n'ose pas.
N'est-ce pas affreux, d'être ainsi ?

Julien GREEN (1900-1998)
Léviathan (1929)
(Librairie Arthème Fayard)

Guéret, homme aigri et frustré que rien ne satisfait, est sujet à des crises de violence qu'il ne contrôle pas. Il est alors soumis à une puissance supérieure et mystérieuse qui le plonge dans la folie. Attiré par une jeune femme, Angèle, il cherche à la séduire mais se sent très vite rejeté par elle. Un soir, il l'attend et l'emmène avec lui.

Mais elle ne pouvait plus se contenir, son cœur battait trop vite ; sa gorge malgré elle livrait passage à un appel terrible, un hurlement d'animal pris au piège et qui ne connaît plus de ressource que dans ses cris de douleur et de désespoir. Le spectacle de cet effroi mit Guéret hors de lui. Il la gifla d'abord, et, lâchant son poignet, il lui prit la tête dans les mains et la heurta plusieurs fois sur le sol. Elle haletait mais criait encore. Il appliqua sa main sur sa bouche; elle mordit cette main. Alors une sorte d'ivresse le prit, une ivresse de rage et de souffrance. Il jeta les yeux autour de lui avec le regard d'un homme qui tombe à la mer. Ses bras firent de grands moulinets heurtant les branches des arbres autour de lui, et tout d'un coup il saisit l'une d'elles et, s'y cramponnant avec fureur, essaya de la rompre ; elle plia une ou deux fois et se brisa enfin avec un déchirement horrible, montrant la grande blessure blanche du tronc d'où elle se détachait.

Angèle s'était levée et courait le long de la Sommeillante ; lorsqu'elle fut à vingt pas de Guéret, elle voulut remonter le talus, mais, à l'endroit où elle se trouvait, il était à deux mètres au-dessus de la rivière et en pente trop rapide. La force lui manqua. Elle reprit le petit chemin et courut de nouveau.

Il la rattrapa en quelques secondes et la saisit à la tête. La chevelure de la malheureuse se déroula, lourde et noire, ruisselant sur le bras de l'homme. Une seconde il demeura immobile en sentant sur le revers de sa main la fraîcheur et le poids de ces tresses, puis ses doigts se refermèrent. Elle cria et voulut se retourner vers lui, mais il jeta sa branche de côté et prenant à deux bras ce corps qui se débattait, se laissa tomber avec lui sur le sol. La jeune fille soufflait, vaincue par la fatigue et la terreur. Dans la rage qui lui faisait perdre tout contrôle de ses gestes, il eut tout à coup un mouvement de tendresse en voyant la blancheur de cette chair que soulevait une respiration difficile et il murmura le nom d'Angèle, mais elle le regarda d'entre les longues mèches qui lui cachaient à moitié le visage et se remit à crier, hors d'elle-même à l'idée que cet homme allait peut-être la tuer. Elle eut le temps de voir la colère revenir dans ses yeux comme une espèce de flot qui en changea la teinte, et ferma les paupières. Il la tenait par le cou, étranglant ses cris dans sa gorge.

— Tais-toi, répétait-il sur un ton de supplication et de fureur.

Et comme elle essayait de se libérer et de crier, il la frappa à la poitrine et au visage, plusieurs fois. Il lui sembla tout à coup que la rivière, les arbres, l'air, tout remuait autour de lui et qu'un rugissement continu emplissait le ciel. Les poings se levaient et retombaient sans qu'il en fût le maître. Sa seule pensée était de faire cesser les abominables cris qui sortaient de cette bouche, ce son aigu qui pénétrait dans son cerveau comme une arme et le déchirait. Une terreur subite, la propre terreur de sa victime, le gagnait. Il ne savait plus comment échapper à lui-même, à son crime, comment empêcher ses mains d'agir, comment arrêter ces cris. Les yeux de la jeune fille ne le regardaient plus, ils étaient révulsés. Dans son effort pour fuir le spectacle du visage qui se penchait sur elle, et telle qu'elle était, elle ressemblait à une aveugle, à une folle, elle ressemblait déjà à cette vision de l'assassinée qu'il avait eue la nuit dernière.

Brusquement, il saisit la branche qu'il avait jetée de côté et qui était à portée de sa main. Dans l'excès de sa colère il leva son arme et en frappa Angèle au visage, sur les joues, sur le front, jusqu'à ce qu'elle se tût et que le sang dérobât aux yeux du vainqueur la vue de ces traits qu'il adorait.

John STEINBECK (1902-1968)

Les Pâturages du ciel (1932)

(trad. Louis Guilloux, Folio n° 692)

Steinbeck, en 1932, imagine un personnage qui n'est pas sans annoncer Lennie. Il s'appelle Tularecito, « Petite Grenouille », nom qui lui a été choisi à cause de son apparence quelque peu difforme. Abandonné à l'âge de trois mois dans un fossé, il est recueilli par Franklin Gomez, qui lui donne beaucoup d'amour et le comprend. Pour lui, Tularecito « n'est pas fou ; il est de ceux-là que Dieu n'a pas tout à fait achevés ». L'enfant grandit vite, son intelligence ne se développe pas, mais il a un don extraordinaire pour le dessin. Contraint d'aller à l'école, il ne cesse de dessiner et prend goût aux histoires que raconte sa maîtresse. Un jour il décide d'aller creuser au pied d'un arbre appartenant à Bert Munroe, pour rencontrer les gnomes, qui à ses yeux constituent sa vraie famille.

Et Tularecito creusa le trou et le fit encore plus profond qu'avant, parce que beaucoup de terre avait été fraîchement remuée. Juste avant l'aurore, il se retira dans le buisson à la lisière du verger, et s'allongea sur le sol pour guetter.

Bert Munroe sortit avant le déjeuner pour regarder à nouveau à son piège, et il trouva encore le trou ouvert. « Les petits démons ! s'écria-t-il. Ils y tiennent ! Je parierais bien que Manny est dans le coup ! »

Il observa le trou pendant un moment et puis commença à y pousser la terre avec le côté de son pied. Un grognement sauvage le fit se retourner. Tularecito le chargeait, sautant comme une grenouille sur ses longues jambes et brandissant sa pelle comme une massue.

Quand Jimmie Munroe vint chercher son père pour le déjeuner, il le trouva étendu sur le monceau de terre. Il saignait de la bouche et du front. Des pelletées de boue jaillissaient de la fosse.

Jimmie pensa que quelqu'un avait tué son père et se préparait à l'enterrer. Il courut chez lui, fou de terreur, et par téléphone appela un groupe de voisins.

Une demi-douzaine d'hommes arrivèrent en rampant à la fosse. Tularecito se battit comme un lion blessé, et tint bon, jusqu'au moment où ils le frappèrent sur la tête avec sa propre pelle. Puis ils le lièrent et l'enfermèrent en prison.

À Salinas, un comité médical examina le garçon. Quand les docteurs lui posèrent des questions, il leur sourit calmement et ne répondit pas. Franklin Gomez dit au comité ce qu'il savait et demanda la garde de Tularecito.

— Nous ne pouvons vraiment pas faire cela, Mr Gomez, dit finalement le juge. Vous dites qu'il est un bon garçon. Seulement, pas plus tard qu'hier, il a essayé de tuer un homme. Vous devez comprendre que nous ne pouvons le laisser en liberté. Tôt ou tard, il réussira à tuer quelqu'un.

Après une courte délibération, il confia Tularecito à un asile pour les fous criminels à Napa.

Howard BUTEN (né en 1950)
Quand j'avais cinq ans, je m'ai tué (1987)
(trad. Jean-Pierre Carasso, Seuil)

Le narrateur, Gilbert Rembrant, huit ans, raconte avec ses mots et sa perception du monde son internement suite « à ce qu'il a fait à Jessica », à la résidence-home d'enfants Les Pâquerettes. Il est suivi par le Dr Nevele qui le considère comme « socialement inadapté et frisant la psychopathie », il est donc mis à l'écart de la société et surveillé de près car il est parfois sujet à des explosions de violence.

Quand tout le monde a été habillé on est allés au petit déjeuner. Y avait des œufs au plat avec les jaunes qui faisaient comme des yeux. J'étais assis à côté de Robert. Il pleure tout le temps. Alors je lui ai dit :
— Eh ! Robert ! Regarde un peu ça. On dirait que cet œuf c'est ton œil, d'ac ?
Il a dit d'ac et j'ai planté mon couteau dans le jaune qui a coulé sur toute l'assiette. Et il s'est mis à pleurer. Alors je lui ai donné un coup de poing dans la bouche et il a aspergé Mme Cochrane de céréales. Elle en avait partout. Elle s'est fichue vraiment en rogne et elle m'a attrapé la main à travers la table, c'était un poing. Et j'ai tiré et mon poing s'est écrasé sur mon assiette et l'a cassée en morceaux. Un morceau a frappé la figure de Robert qui s'est mis à hurler. Tout le monde s'est retourné vers nous pour voir ce qui se passait. Alors je me suis levé sur ma chaise et j'ai commencé à marcher sur la table, dans les assiettes de tout le monde et j'ai renversé les carafes d'eau. J'ai balancé un bon coup de pied dans mon verre de jus d'orange et il a valdingué à travers toute la salle et il est allé frapper Rudyard dans le dos. Il s'est retourné, il m'a vu, mais il a rien dit.
Mme Cochrane s'est levée et m'a attrapé par la ceinture en criant à un employé de la résidence-home d'enfants Les Pâquerettes qui était à la table d'à côté de venir l'aider. Et le monsieur s'est levé et il est venu

me prendre alors je lui ai donné un coup de pied dans le ventre et il m'a pris les bras et me les a tordus et je pouvais plus bouger et il me serrait vraiment fort. Il m'a emporté de la salle à manger. Mme Cochrane est venue aussi.
Quand on est arrivés au bureau du Dr Nevele il y avait déjà quelqu'un dedans, la porte était fermée alors l'employé m'a fait asseoir sur le banc et m'a tenu très serré. Mme Cochrane a frappé à la porte et elle est entrée dans le bureau. J'ai essayé de mordre le monsieur mais il a tiré si fort sur mes bras que j'ai cru qu'il allait les casser. Je pouvais plus bouger. Et puis Mme Cochrane est sortie du bureau et elle avait la figure rouge. Juste derrière elle venait une dame. J'ai arrêté d'essayer de mordre l'employé. J'ai regardé la dame et elle m'a regardé. Je ne savais pas quoi faire. C'était la mère de Jessica.

Groupement de textes stylistique

Le dialogue

DANS SON ROMAN, Steinbeck s'impose une contrainte forte, cherchant à composer un roman qui pourrait être adapté tel quel à la scène. Aussi adopte-t-il une écriture parfois théâtrale où le dialogue est central. Nous proposons dans ce groupement de textes de revenir sur les techniques et l'évolution du dialogue.

1.

Le dialogue : des règles imposées ?

Lorsque l'auteur veut rapporter une conversation entre ses personnages, il choisit le plus souvent de les faire parler directement dans un dialogue. Le lecteur a alors l'impression de les entendre, d'assister à une discussion réelle.

Néanmoins, il ne s'agit pas simplement de jeter sur une page les paroles des personnages, il faut que l'auteur respecte des règles ou codes qui rendront le dialogue compréhensible par le lecteur.

1. *Respect de la typographie*

Le dialogue se repère facilement sur la page grâce à l'utilisation de signes de ponctuation très visibles.

Habituellement, chaque prise de parole d'un personnage est précédée d'un tiret (–). Elle peut également être annoncée par deux points et des guillemets qui encadrent la parole prononcée (il dit : « … »). Pour plus de clarté, on va à la ligne (alinéa) chaque fois que l'interlocuteur change.

2. *Les verbes déclaratifs*

Placés en incise avec inversion du sujet — dans la partie qui appartient au récit —, ces verbes de parole permettent d'introduire et de préciser celui qui parle. Ils nous renseignent également sur le ton, l'humeur, l'attitude, l'intention qui accompagnent les paroles prononcées.

Voici quelques exemples de verbes :

La douceur	murmurer, miauler, roucouler, susurrer, etc.
La discrétion	insinuer, souffler à l'oreille, suggérer, glisser quelque chose à l'oreille de quelqu'un, etc.
La colère	glapir, rugir, aboyer, tonner, marteler, s'emporter, tempêter, vociférer, réprimander, tancer, etc.
La certitude	affirmer, assurer, prétendre, clamer, soutenir, etc.
La transmission d'une information	annoncer, dénoncer, informer, indiquer, etc.
La critique	blâmer, calomnier, critiquer, vilipender, agonir, condamner, etc.
L'éloge	louer, vanter, etc.

Le débat	exhorter, apostropher, interpeller, défendre, etc.
La mauvaise humeur	bougonner, ronchonner, grogner, grommeler, râler, etc.
La réponse	s'enquérir, acquiescer, compléter, rétorquer, reprendre, objecter, riposter, ajouter, poursuivre, couper, etc.

3. *Le choix des temps verbaux*

Il est important de comprendre que les paroles rapportées dans un dialogue sont directement liées à la situation d'énonciation des personnages, le contexte temporel dans lequel ils évoluent. Ainsi on utilise :

- le **présent** pour des actions ou des événements qui se passent au moment de l'énonciation ;
- le **passé composé** pour des actions ou événements qui ont eu lieu auparavant (antérieurs) et l'**imparfait** ou le **plus-que-parfait** pour des événements antérieurs de second plan ;
- le **futur** pour exprimer des actions ou des événements qui auront lieu par la suite (postérieurs) et le **futur antérieur** pour exprimer une antériorité par rapport à une action ou un événement raconté au futur.

4. *Le registre de langue*

Dans son roman, Steinbeck est soucieux de rapporter des dialogues authentiques, de donner à entendre au lecteur les voix de Lennie et de George dans toute leur musicalité et leur rudesse, quitte à ne pas respecter la grammaire. Ses personnages ne parlent pas une langue littéraire : l'écrivain affirme par là sa volonté de livrer un parler vrai, celui des travailleurs agricoles qui ont parfois une connaissance approximative des conjugaisons et de la syntaxe.

En effet, Steinbeck choisit le registre de langue en fonction de l'identité de ses personnages, mais il doit également tenir compte du thème de la conversation, du lieu et du moment de l'énonciation. Il prend en compte plusieurs critères qui déterminent le ton et le vocabulaire utilisés : le rapport qu'entretiennent les personnages (se connaissent-ils ? sont-ils amis ? s'aiment-ils ? se cherchent-ils querelle ? etc.), le but de la communication (convaincre l'autre, le séduire, le tromper, se moquer, etc.).

Les registres sont :

- **soutenu** : les personnages ont des liens de courtoisie ou de hiérarchie, ou sont dans une situation solennelle ;
- **courant** : langue utilisée par tous ;
- **familier, argotique** : langue orale retranscrite, négation incomplète, interjection, élision (« j'sais pas »), volonté d'être au plus près d'un dialogue réel. Phrases courtes, segmentées, répétitions, tics de langage, hésitations.

5. *La fonction dramatique du dialogue*

Dans *Des souris et des hommes*, le dialogue est essentiel, c'est à travers les échanges des personnages que nous comprenons la situation de Lennie et de George, que nous connaissons leur rêve, que nous découvrons aussi ce qui se passe dans le ranch. Ainsi l'intrigue est-elle entièrement construite à travers le dialogue : Steinbeck ne nous renseigne jamais sur ce que pensent ses personnages, il les fait parler. Néanmoins, tous les dialogues ne sont pas à placer sur le même niveau : on peut distinguer la présentation quand ils arrivent au ranch, l'explication, la confidence quand George raconte à Slim ce qui s'est passé à Weed, le rêve quand ils évoquent leur désir d'avoir une terre à eux, la dispute entre Curley et Lennie. Le lecteur avance dans l'intrigue au rythme des dialogues qui lui révèlent le caractère des personnages, leur passé, leurs intentions, leurs relations avec les autres, leurs frustrations.

Le dialogue a donc un rôle non négligeable dans la présentation d'un personnage, il n'est pas simple ornement, l'action en dépend. Le geste meurtrier de Lennie est inscrit dans ses paroles et dans celles de George qui pressent le drame.

Ainsi, le dialogue permet de mieux comprendre les personnages, de découvrir certaines de leurs intentions, de rythmer l'action, de la faire progresser, et de rendre le récit plus vivant. Les répliques ne sont pas gratuites mais éclairent toujours l'intrigue.

2.

Exemples de dialogues

Les textes sont sciemment présentés dans l'ordre chronologique, afin de montrer l'évolution des pratiques.

1. *Dialogue intérieur ou extérieur ?*

On ne sait quelquefois pas, dans un dialogue, si la personne qui parle s'adresse à quelqu'un ou bien à elle-même : entre échange et monologue, la frontière est floue. Hemingway, dans *Le Vieil Homme et la mer*, met en scène un vieil homme solitaire, qui parle tout seul pour se tenir compagnie. Parfois il s'adresse au poisson qu'il veut tuer et qu'il appelle « [s]on frère », à sa main blessée, au petit oiseau qui se pose à côté de lui, ou encore à Dieu. Hemingway fait alterner des paroles dites à voix haute et les pensées intérieures de son personnage, ce qui rend son combat poignant mais le dialogue illusoire puisque personne ne peut lui répondre.

Ernest HEMINGWAY (1899-1961)

Le Vieil Homme et la mer (1952)

(trad. Jean Dutourd, Folio n° 7)

Le vieil homme part en mer seul et parvient à pêcher un énorme espadon qui résiste à l'arrière de sa barque ; commence alors un combat entre l'homme et le poisson.

« Poisson, dit le vieux, poisson faut que tu meures. De toute façon. Tu veux que je meure aussi ? »
On n'arrivera à rien comme ça, pensa-t-il. Sa bouche était trop sèche pour parler, mais il ne pouvait atteindre sa bouteille. Cette fois, faut que je l'amène. Je tiendrai pas longtemps à ce train-là. Mais si, tu tiendras, se dit-il à lui-même. Tu tiendras jusqu'au bout.
Au cercle suivant, il s'en fallut de peu qu'il ne l'attrapât. Mais le poisson se redressa encore et s'éloigna lentement.
Tu veux ma mort, poisson, pensa le vieux. C'est ton droit. Camarade, j'ai jamais rien vu de plus grand, ni de plus noble, ni de plus calme, ni de plus beau que toi. Allez, vas-y, tue-moi. Ça m'est égal lequel de nous deux qui tue l'autre.
Qu'est-ce que je raconte ? pensa-t-il. Voilà que je déraille. Faut garder la tête froide. Garde la tête froide et endure ton mal comme un homme. Ou comme un poisson.
« La tête froide », dit-il d'une voix qu'il n'entendait plus qu'à peine. « La tête froide ! »
Deux fois encore, les cercles du poisson restèrent sans résultat.
Je ne sais plus, pensa le vieil homme. Il avait été sur le

point de s'évanouir chaque fois. Je ne sais plus ! Mais je vais essayer encore un coup.
Il essaya encore un coup. Au moment où il retourna le poisson, il sentit venir la syncope. Le poisson se redressa, puis repartit d'une lente allure, sa grande queue godillant dans l'air.
Je vais encore essayer, affirma le vieux, bien que ses mains fussent toutes molles et que ses yeux ne vissent plus que par instants.
Il essaya encore. Même échec. Et voilà ! pensa-t-il. La syncope arriva avant qu'il eût commencé ; j'essayerai encore un coup.

2. *Le dialogue dépouillé*

Marguerite Duras a beaucoup écrit pour le théâtre, et ce goût de l'oralité, de l'échange entre plusieurs personnages qui parfois se connaissent à peine se retrouve dans ses romans. Organisés autour de quelques mots comme si le plus important ne pouvait se dire, ce sont des dialogues en creux où l'essentiel est à chercher au-delà des paroles prononcées. Le dialogue ainsi mené, dans un souci toujours plus grand de dépouillement, dépasse les personnages eux-mêmes et nous renvoie souvent à leur subconscient.

Marguerite DURAS (1914-1996)

Dix heures et demie du soir en été (1960)

(Folio n° 1699)

Dans l'extrait qui suit, Maria, son mari, leur fille et une amie sont en route pour Madrid mais de violents orages les poussent à s'arrêter. Il fait très chaud, ils s'attardent dans un café à boire des manzanillas et décident de rester pour la nuit dans un hôtel. Ils apprennent que Rodrigo Paestra a commis un meurtre passionnel : il a tué sa femme et son amant, Toni Perez, puis s'est sauvé. Les policiers sont à sa recherche. Maria est fascinée par ce crime, par la force d'un amour qui conduit à la mort, c'est pour elle le sommet de la passion.

— Un peu de répit pour Rodrigo Paestra, dit le client.
Il montre les policiers qui se sont abrités dans la galerie et qui attendent la fin de l'averse.
— Six mois qu'il était marié, continue le client. Il l'a trouvée avec Perez. Qui n'aurait pas agi de la sorte ? Il sera acquitté, Rodrigo.
Maria boit encore. Elle fait une grimace. Le moment de la journée est arrivé où l'alcool lui soulève le cœur.
— Où est-il ? demande-t-elle.
Le client se penche sur elle. Elle sent l'odeur citronnée et épaisse de ses cheveux. Les lèvres sont lisses, belles.
— Sur un toit de la ville.
Ils se sourient. Il s'écarte. Elle a encore la chaleur de sa voix dans le creux de l'épaule.
— Noyé ?
— Non — il rit — je répète ce que j'ai entendu. Je ne sais rien.
Une discussion s'engage au fond du café à propos du crime, très bruyante, qui fait cesser les autres discussions. La femme de Rodrigo Paestra s'était jetée dans les bras de Perez, était-ce la faute de Perez ? Peut-on repousser une femme qui vous arrive dessus de la sorte ?
— Le peut-on ? demande Maria.
— C'est difficile. Mais Rodrigo l'avait oublié.
Perez a des amis qui le pleurent ce soir. Sa mère est là, seule auprès de son corps, à la mairie. Et la femme de Rodrigo Paestra ? Son corps est également à la mairie. Mais elle n'était pas d'ici. Personne n'est auprès d'elle ce soir. Elle était de Madrid, elle était arrivée ici pour le mariage, à l'automne dernier.
L'averse cesse et, avec elle, le bruit fracassant de la pluie.

— Une fois mariée, elle a voulu de tous les hommes du village. Que faire ? La tuer ?
— Quelle question, dit Maria — elle montre un endroit de la place, une large porte fermée.
— C'est là en effet, dit le client, c'est la mairie.
Un ami rentre dans le café, ils parlent encore du crime.

3. *Convaincre par le dialogue*

Andrée CHÉDID (née en 1920)
L'Enfant multiple (1989)
(Flammarion)

Maxime possède un manège. Un matin, il découvre qu'un enfant dort dans le carrosse. Il le jette dehors et s'aperçoit alors que l'enfant n'a qu'un bras. Très vite un dialogue s'engage, l'enfant tentant de rassurer Maxime, très méfiant. Il lui propose de nettoyer son manège gratuitement. Maxime n'y croit pas et le soupçonne de vouloir le voler.

— Je ne t'ai rien pris. Je ne suis pas un voleur.
— C'est bon, c'est bon, reprit Maxime gêné. Ramasse tout ça, et va-t'en.
L'enfant se baissa, recueillit d'abord les piécettes, les lui montra :
— Elles ne sont pas d'ici, elles sont de chez moi. Elles ne valent plus rien, juste le souvenir.
— Ça va, ça va..., maugréa le forain, jetant un coup d'œil furtif sur cette monnaie étrangère dont il ne distinguait pas l'origine.
Le gamin ramassa le reste ; puis les quatre billes d'agate qu'il exposa dans sa paume ouverte :
— Choisis. Il y en a une pour toi.
— Qu'est-ce que j'en ferai ? Allons, range ça.
— Tu n'as jamais joué aux billes ?

— Mais si, mais si.
— Alors, fais comme moi, garde-la en souvenir.
Entre le pouce et l'index, Maxime saisit avec précaution la plus coloriée des quatre, avec sa torsade orange et vert au centre. Elle lui rappelait l'ancienne bille, avec laquelle il gagnait toujours. [...]
— Alors, demanda Omar-Jo, qu'est-ce que tu dis de ma proposition ?
La mémoire toujours encombrée du souvenir de ses propres billes, le forain empocha celle au cœur torsadé, qu'il tenait encore entre ses doigts.
— Quelle proposition ?
— Tu m'utilises sur ton Manège.
Évitant de répondre, Maxime cherchait à en savoir plus sur l'étrange garnement. Il montra du doigt le moignon, puis le renfoncement au sommet de sa joue.
— Qu'est-ce qui t'a fait ça ?
— Un accident, reprit l'enfant peu disposé à des confidences.
— Tu fais partie d'une bande ?
Là-bas aussi, il existait des bandes : mobiles, dangereuses, toutes armées. Des groupes insaisissables, impossibles à contrôler.
— Moi, je ne fais partie de rien.
Il avait une façon bien à lui de relever la tête, sans arrogance, mais comme pour définir son territoire, pour en fixer l'infranchissable limite.
— Si je t'emploie, il faut quand même que je sache d'où tu viens ?
— Je ne te demande pas d'où tu viens, répliqua l'enfant.
Il dévisagea son interlocuteur, s'attardant, comme chaque fois, sur les yeux, cherchant le fond du regard, ajouta :
— Un homme qui aime son Manège, je n'ai pas besoin de savoir d'où il vient. Il est de ma famille.
— De ta famille ? Où est-ce que tu vas chercher ça ?

— Pas de la famille du sang, mais l'autre. Parfois ça compte beaucoup plus. On peut la choisir.
— Tu veux dire que tu m'as choisi ?
— Oui, maintenant, je te choisis !

4. *Dialoguer comme on vit*

Alice Ferney, écrivain contemporain, considère le dialogue comme essentiel : « La conversation, c'est la forme audible que prennent les échanges entre les personnes. C'est tout simplement ce que l'on se dit. [...] Pour moi, il n'y a pas de banalité dans la conversation. Le dialogue, selon moi, ne fait pas référence à la réalité. C'est juste un terme technique en littérature, au cinéma ou au théâtre où l'on parle plutôt de répliques d'ailleurs. On peut dire que le dialogue, c'est la partie parlée dans un livre alors que vous dites : "J'ai eu une conversation avec Untel." La conversation, ce n'est pas banal, c'est universel. »

Elle transcrit de manière très particulière les dialogues car elle les mêle à la narration, sans les isoler typographiquement. Voici ce qu'elle dit pour éclairer sa démarche : « Ce n'est pas vraiment un choix. Je ne me l'explique pas du tout, mais c'est ainsi que j'aime mon texte. Parfois, j'essaie de le mettre dans une forme dialoguée habituelle, dans une forme théâtrale, mais, à ce moment-là, je n'entends plus mon texte. Je l'entends comme un flux et je le restitue comme tel. Mais ce n'est ni un parti pris, ni un jeu. J'essaie d'écrire quelque chose qui me plaît avec la garantie que cette chose aura ma marque. Quelquefois, cependant, dans certaines parties du roman, il m'arrive de mettre des tirets et de respecter l'alternance d'un dialogue » (interview donnée à RFI en 2000).

Alice FERNEY (née en 1967)

Grâce et dénuement (1997)

(Actes Sud, coll. Babel)

Dans son roman Grâce et dénuement, *Alice Ferney montre l'engagement d'une femme qui décide un jour de faire la lecture à des petits Gitans, pour les ouvrir sur un autre monde, celui du rêve et du rire. Une fois par semaine, elle leur rend visite sur leur misérable campement et leur lit des histoires. Ici, les enfants l'accueillent après les vacances de Noël.*

Noël fut un mardi, Esther manqua deux mercredis. À son retour les enfants se jetèrent sur elle. Bonne année Esther ! Bonne année Esther ! criaient-ils. Bonne année à vous aussi, disait-elle en les soulevant de terre pour les embrasser puis les faire tourner dans ses bras. À moi ! À moi ! réclamaient ceux qui n'avaient pas encore volé. Angéline restait au bord du feu à observer ses petits-enfants. Une douce année pour vous, murmura Esther en se penchant vers la vieille. Mais déjà les enfants l'entraînaient vers sa voiture, Ils se mirent à raconter. Vous parlez tous en même temps et je ne comprends rien, dit Esther. C'est moi qui parle ! osa Mélanie. On a fait deux fêtes ! Une pour Noël et une pour la nouvelle année ! s'exclama-t-elle. Et on était complètement pétés ! dit Sandro. Vous avez bu ? s'étonna Esther. Ouais ! On a piqué une bouteille de vin et on est allés la boire en douce ! dit Michaël. Les autres aussi ils étaient pétés, dit Anita, ils nous avaient oubliés. Et on était plein de monde à faire la fête ! dit Hana. Comment ça ? demanda Esther dépassée par leur agitation. Ben ouais, fit Sandro. Ne dis pas sans arrêt ouais, corrigea Esther. Ben ouais, reprit-il, on avait invité les clochards de l'autopont. Vous les connaissiez ? demanda Esther. Non, mais on savait qu'ils existaient, dit Anita (un peu fière). Alors on est allés les chercher, dit Carla. Elle reprit son souffle à toute vitesse et continua dans le même élan : On leur a dit Venez ! Elle avait des gestes de mains qui faisaient taire les autres. Ainsi put-elle achever ce qu'elle voulait dire. Esther riait, ils avaient eu un beau Noël. Elle regarda autour d'elle, trouvant un air singulier à l'immuable décor. Y a quelque chose de changé hein ? dit Michaël. Cot cot… fit-il avec un sourire malicieux. T'as deviné CoqCoq ? demanda-t-il à Esther en relevant le menton. Elle fit un signe affirmatif. Il n'y avait plus que deux ou trois poules qui traînaient dans les flaques, picorant dans les cailloux les éléments invisibles qui avaient suffi à les tenir en vie. On a mangé toutes les autres ! dit Sandro. Et c'était bon au moins ? demanda Esther. Elles avaient le goût de feu, dit Sandro, on a mangé le feu et ça nous a réchauffé le cœur ! Et il éclata de rire. Anita haussa les épaules. Allez sur la piste ! dit Esther, moi aussi j'ai une surprise pour vous. Quoi ? Quoi ? criaient-ils en chœur, tassés autour d'elle. Elle sortit un jeu de cartes de son sac.

Chronologie

John Steinbeck et son temps

1.

L'amour d'une terre natale, la Californie (1902-1919)

John Steinbeck grandit en Californie, là où il est né le 27 février 1902, plus précisément à Salinas (120 kilomètres au sud de San Francisco). Dès son plus jeune âge, il est placé au cœur d'un héritage culturel complexe, qui imprégnera par la suite son œuvre littéraire, pétrie de références rencontrées pendant l'enfance : ce sont les origines germaniques, certes distantes de plusieurs générations, de son père, trésorier municipal, et surtout l'influence irlandaise de sa mère, Olive Hamilton, dont les parents ont immigré de l'Ulster pour se faire une nouvelle vie. Institutrice énergique, elle possède une bibliothèque éclectique qu'elle laisse volontiers consulter à ses quatre enfants : Beth, Esther, John et Mary. Ces trésors ne laisseront pas insensible le jeune John : de la Bible à William Shakespeare, des romans d'aventures de Jack London aux péripéties de Robert Louis Stevenson, en passant par les récits des Chevaliers de la Table ronde sans oublier les œuvres de référence de John Milton, Gustave Flaubert, T.S. Eliot ou Thomas Hardy. Sa mère l'encourage et rêve de la réussite de son fils, qu'elle espère voir devenir médecin ou avocat. Adolescent, il affirme déjà un goût prononcé pour l'écriture, s'invente des récits, et signe dans le journal de son école, *El Galiban*. Passionné de littérature, John l'est également d'activités physiques. Il pratique le basket-ball, passe ses vacances dans des ranches à s'occuper des chevaux et aime se promener sans contrainte dans la nature luxuriante de la « Grande Vallée », région encore principalement rurale à l'époque. Amoureux du *Golden State*, il ne trahira jamais son attachement profond pour sa terre natale, sa fascination pour ces paysages riches de fruits et de promesses qui l'ont vu grandir.

1903	Jack London, *L'Appel de la forêt.*
1907	Début de la Prohibition.
1914	Déclaration de la Première Guerre mondiale. Ouverture du canal de Panamá.
1916	Mort d'Henry James, de Jack London.
1918	Armistice, fin de la Première Guerre mondiale.

2.

Le goût de l'écriture (1920-1934)

Après avoir été diplômé de la Salinas High School, il entre à l'université de Stanford où il choisit d'étudier la littérature classique et la biologie marine. Cette passion scientifique ne le quittera jamais : il s'en servira dans l'approche du monde qu'il peint, fruit d'une observation rigoureuse et minutieuse de tout ce qui l'entoure. Devant financer seul ses études, John occupe divers emplois précaires et se familiarise ainsi avec le monde du travail. Il se fait embaucher comme ouvrier agricole, commis de ferme ou de ranch, cantonnier ou même matelot. Lors de ces expériences de la « vraie vie », il engrange les matériaux qui serviront à l'élaboration de trames romanesques. Sa volonté d'écrire s'affirme et il publie, entre février 1924 et mars 1926, des nouvelles et des poèmes dans des revues comme *The Stanford Spectator* et *The Stanford Lit.* Selon le président de l'English Club, où il venait présenter ses récits, « il n'avait aucun autre intérêt ou talent que je puisse déceler. Il était écrivain, mais il n'était que ça et rien d'autre ».

Finalement déçu par le monde universitaire, ne parvenant pas à s'y faire une place, le jeune homme quitte Stanford sans même passer sa licence et part pour New York. À la fois manœuvre sur le chantier du Madison Square Garden et journaliste débutant dans le magazine *American*, il ne trouve pas l'équilibre et l'épanouissement qu'il attendait de cette expérience. Il regagne donc la Californie, et devient gardien dans les montagnes, près du lac de Tahoe. Là, il se consacre entièrement à l'écriture. Il écrit alors son premier roman, *La Coupe d'or*, publié en août 1929 : un récit d'aventures, où le héros est à la recherche de la femme idéale et du trésor de Panamá.

En revenant sur sa terre natale, John a le souci de s'installer. Il se marie avec Carol Henning en 1930, et emménage à Pacific Grove, la résidence d'été des Steinbeck. Cette même année est marquée par une rencontre d'importance avec le biologiste des fonds marins Edward Ricketts, qui a une très grande influence sur sa pensée et sur son œuvre. En effet, quand Steinbeck peint un scientifique — figure que l'on rencontre à plusieurs reprises —, il s'inspire de son ami, homme de science que l'étude n'a pas desséché mais qui, au contraire, conserve un goût profond et sincère de la vie.

John poursuit avec ténacité son travail d'écrivain. En 1932, son manuscrit *Les Pâturages du ciel* est accepté, et une revue littéraire publie les premières nouvelles de l'auteur. Un accueil similaire est fait en 1933 à *Au Dieu inconnu.* John a bon espoir de se faire connaître comme écrivain, et ses ambitions sont en train de se réaliser.

1921	Einstein reçoit le prix Nobel de physique.
1925	Francis Scott Fitzgerald, *Gatsby le Magnifique.*
1927	Lindbergh traverse l'Atlantique en avion.
1929	Jeudi noir à Wall Street. Début de la Grande Dépression. Faulkner, *Le Bruit et la fureur.*
1933	Fin de la Prohibition. Roosevelt lance le *New Deal.*
1934	Henry Miller, *Tropique du Cancer.*

3.

La reconnaissance de l'écrivain (1935-1949)

C'est en 1935, avec la sortie de *Tortilla Flat,* qu'il est enfin reconnu comme auteur et qu'il connaît son premier succès populaire. Il noue avec son éditeur, Pascal Covici, une solide amitié qui dure de nombreuses années ; c'est d'ailleurs chez lui que sont publiés presque tous ses romans. L'année suivante, il publie son premier roman social, *En un combat douteux,* qui raconte la grève des saisonniers californiens.

En 1937 sort *Des souris et des hommes* qui lui rapporte notoriété et argent. Il s'en réjouit et s'équipe d'un chauffage au kérosène pour ne plus avoir froid aux mains ! Peu de temps après la publication, il part pour New York, pour travailler sur l'adaptation théâtrale du roman. Jouée au Music Box Theater à New York, la pièce connaît un franc succès et remporte le prix du Cercle de la critique. Très concerné par le sort des ouvriers agricoles, il publie un reportage sur le problème des travailleurs immigrants en Californie, montrant ainsi son souci de défendre les plus faibles et de rendre compte de leurs souffrances quotidiennes.

Curieux de découvrir le monde (il a déjà voyagé au Mexique), il part pour l'Europe ; dans le même temps, il publie un recueil de nouvelles, *La Grande Vallée* — dans lequel figure « Le poney rouge » — aux éditions Viking, que son ami Pascal Covici dirige désormais.

Témoin de la grande misère qui frappe une partie de la population, brisée par les crises du marché et la sécheresse, il décide de prendre pour thème de son roman, après s'être solidement documenté, le sort de ces victimes, de tous ces laissés-pour-compte. Il publie en 1939 *Les Raisins de la colère*, qui remportent un immense succès : à la mi-mai, on en vend 10 000 exemplaires par semaine. Néanmoins ce roman choque une partie de l'Amérique : sa vente est interdite en Californie, trois exemplaires sont brûlés à Saint Louis sur la place publique et il est introuvable dans les bibliothèques de Kansas City et de l'Oklahoma. Si on lui reproche une langue peu soignée et vulgaire, on dénonce surtout sa vision politique du système qui oppose les travailleurs de l'Oklahoma et les producteurs californiens, on le dit « socialiste ». Le député de l'Oklahoma le qualifie de « manuscrit dégoûtant, mensonger, ignoble ». Malgré cette vive polémique, la force de ce roman traversé par un souffle épique est reconnue, et Steinbeck obtient le prix Pulitzer et le *National Book Award* en 1940. Son roman devient même lecture obligatoire dans tous les collèges de la ville de New York. John Steinbeck signe ici un des premiers romans « de masse » ; il sera traduit en français dès 1947.

Son succès le conduit au cinéma : en 1941, deux romans sont adaptés à l'écran, *Des souris et des hommes* par Lewis Milestone, et *Les Raisins de la colère* par John Ford.

La guerre, sa nouvelle notoriété semblent pousser John à changer de vie. Il divorce, s'installe à New York avec la chanteuse Gwyndolen Conger — ils se marient en 1943 —, avec qui il aura deux fils, Thomas (né en 1944) et John (1946). Correspondant du *New York Herald Tribune* pendant plusieurs mois, il devient reporter de guerre en Europe et en Afrique du Nord, sans pour autant négliger sa production littéraire : il publie *Rue de la Sardine* en 1945, *Les Naufragés de l'autocar* et *La Perle* en 1947.

Après la guerre, il accompagne le photographe Robert Capa en URSS pour le compte du *New York Herald Tribune,* voyage qui lui inspire *Journal russe,* publié en 1948. Année glorieuse et tragique à la fois pour Steinbeck, élu à l'Académie américaine des lettres, qui apprend la mort de son ami Ed Ricketts dans un accident de voiture. « C'était le plus grand homme que j'aie connu, et le plus grand professeur. Il va me falloir beaucoup de temps pour réorganiser ma pensée et mes projets sans lui », écrit-il à un ami. Au retour des funérailles, sa femme lui annonce sa volonté de divorcer. En quelques mois, sa vie est bouleversée : il se retrouve seul et endetté.

Il poursuit sa collaboration avec le cinéma. Après avoir travaillé avec Hitchcock, il écrit un film pour Elia

Kazan, *Viva Zapata*, dont le rôle principal est tenu par Marlon Brando.

1936	John Dos Passos, *USA*. Margaret Mitchell, *Autant en emporte le vent.*
1939	Début de la Seconde Guerre mondiale. Raymond Chandler, *Le Grand Sommeil.*
1940	Plus de 8 millions de chômeurs aux États-Unis.
1941	Les États-Unis déclarent la guerre au Japon, à l'Italie et à l'Allemagne.
1945	Fin de la Seconde Guerre mondiale. Les États-Unis lâchent une bombe atomique sur Hiroshima et Nagasaki. Richard Wright, *Black boy.*

4.

Couronnement et déclin (1950-1968)

Il se marie une troisième fois en 1950 avec Elaine Anderson Scott et s'installe à New York. Il se révèle être un chroniqueur et un polémiste infatigable. Il prend position contre le maccarthysme aux États-Unis, contre le communisme à l'étranger, et soutient le président Johnson pendant la guerre du Vietnam.

À l'est d'Eden (1952), allégorie morale ambitieuse, dans la tradition américaine, est adapté au cinéma par Elia Kazan avec James Dean. Il publie *Le Règne de Pépin IV*, ainsi que ses bulletins et articles de guerre dans un recueil, *Il était une fois la guerre.* Fasciné par la légende arthurienne, il quitte les États-Unis pour l'Angleterre, où pendant un an il étudie *La Mort d'Arthur* de Malory, ouvrage du XVe siècle, qui lui inspire une nouvelle version de la légende : *La Geste du roi*

Arthur et de ses preux chevaliers, publiée à New York après sa mort en 1976.

De retour aux États-Unis, il entreprend de parcourir l'immensité de son pays avec son chien, ce qui deviendra *Voyages avec Charley en quête de l'Amérique.* Il publie en 1961 son douzième et dernier roman, *L'Hiver de notre mécontentement,* qui évoque les errances d'un peuple malade. Le prix Nobel obtenu en 1962 couronne l'engagement de Steinbeck pour la littérature dont il s'est servi pour défendre les valeurs fondatrices de l'Amérique : la liberté et la démocratie. Ce couronnement est contesté, et le journaliste Arthur Mizener rédige un éditorial assez grinçant pour le *New York Times,* « Un écrivain à la vision des années 30 mérite-t-il le prix Nobel ? ». L'écrivain, profondément blessé, décide de ne plus écrire de fiction.

Soucieux de maintenir un lien de qualité avec l'Europe, il travaille avec le dramaturge Edward Albee pour un échange culturel derrière le rideau de fer et voyage avec lui en Scandinavie, en Europe de l'Est puis en Russie. Son geste est récompensé en 1964, quand il reçoit la Médaille de la Liberté remise par le président L.B. Johnson. En 1966 sort son dernier ouvrage, *L'Amérique et les Américains,* essai sur le peuple américain affaibli par la crise raciale et une moralité décadente.

Il meurt à New York, le 20 décembre 1968, d'artériosclérose et ses cendres sont enterrées comme il l'avait demandé à sa femme, là où il avait grandi, à Salinas en Californie.

1950 Ray Bradbury, *Chroniques martiennes.*
1951 J. D. Salinger, *L'Attrape-cœur.*
1952 Ernest Hemingway, *Le Vieil Homme et la mer.*
1957 Leonard Bernstein, *West Side Story.* Jack Kerouac, *Sur la route.*

1958	Vladimir Nabokov, *Lolita.*
1962	Mort de William Faulkner.
1963	Assassinat de John Kennedy.
1968	Assassinat de Robert Kennedy et de Martin Luther King.

Éléments pour une fiche de lecture

Regarder le tableau

- Décrivez précisément la couverture. Vous aide-t-elle à déterminer le sujet du roman ? les personnages qui interviendront ? Éclaire-t-elle le titre ?
- Regardez la position des mains de cet homme : quelles émotions transparaissent à travers elle ? L'inquiétude ? La détente ? L'ennui ? Le stress ? Le malheur ? L'attente ?
- Quel âge donnez-vous à cet homme vu de dos ? Comment l'imaginez-vous physiquement ?

L'horizon d'attente : le titre

- Comment comprenez-vous le titre ?
- Steinbeck s'est inspiré, pour le titre de son roman, d'un vers de Robert Burns : « Les plans les mieux conçus des souris et des hommes souvent ne se réalisent pas. » Comment expliquez-vous le choix de ce titre ?
- Devinez-vous quel est le sujet du roman ?
- Le premier titre choisi par Steinbeck était *Quelque chose qui s'est passé*. Comment le comprenez-vous ?

- Lequel des deux vous semble le mieux correspondre au roman ?

Les personnages

- Montrez que les personnages sont présentés au lecteur avec une technique de focalisation externe. Ne pourrait-on pas dire qu'il s'agit presque d'un effet cinématographique ? Imaginez la scène (écriture d'un scénario avec information de lumière, de mouvement de caméra, gestuelle des personnages, etc.).
- Relevez toutes les comparaisons animales qui concernent Lennie. Quelle est leur fonction ? Quels traits de son caractère soulignent-elles ? Qu'annoncent-elles ?
- Quelle place les animaux ont-ils dans la vie de Lennie ? Relevez des exemples précis du texte.
- Montrez que Lennie cherche à ressembler à George. Pourquoi ? Quel rôle joue George dans la vie de Lennie ?
- Comment George justifie aux yeux des autres la présence de Lennie ? Quel mensonge invente-t-il ? Pourquoi ?
- Montrez que l'attachement de George à Lennie est ambivalent : parfois il voudrait être seul, et pourtant il refuse de laisser Lennie tout seul. Choisissez des passages du texte qui illustrent cette attitude.
- Comparez les deux portraits : quelles oppositions, quelles ressemblances surgissent ?
- Faites un tableau faisant apparaître tous les personnages. Pour chacun d'entre eux vous brosserez un portrait physique, donnerez son statut social et préciserez les relations qu'il a avec Lennie et George.

Nom du personnage	Portrait physique	Statut social	Liens avec Lennie et George

Le lieu

- Relevez les différentes descriptions (la nature, les lieux fermés). Comment rythment-elles le récit ?
- Comment est présentée la nature (par le narrateur et par George) ? Pourquoi peut-on dire que c'est l'évocation d'un paradis perdu ?

Le temps

- Sur combien de jours se déroule l'action ?
- Quel jour arrivent George et Lennie ?
- Quel jour se termine le récit ?
- Montrez que l'accélération chronologique permet de comparer le roman à une tragédie grecque : tout est mis en place pour l'accomplissement du destin.

L'intrigue

- Pourquoi peut-on dire que la fin tragique est déjà inscrite dans le début ? Quels éléments l'annoncent ? S'agit-il pour autant de l'accomplissement d'un destin ?

- Pourquoi le rêve a-t-il une si grande importance dans l'univers des deux héros ? Que fuient-ils ?
- Pourquoi Lennie s'écrie-t-il qu'il veut quitter le ranch ?
- Comment réagit Lennie quand Curley le provoque ? Pourquoi Lennie peut-il être considéré comme dangereux ?
- Pourquoi la mort du vieux chien annonce-t-elle celle de Lennie ?

Écriture

- Commentez la phrase de Kessel qui a préfacé *Des souris et des hommes* : « L'écrivain s'est borné à reproduire les contours les plus simples, à répéter des paroles banales et vulgaires. Et à travers cette indigence, cette négligence barbares, il accomplit le miracle. »

Le film

- Essayez de voir l'une des deux adaptations cinématographiques du roman : celle de Lewis Milestone, en 1939, ou celle de Gary Sinise, en 1992, avec John Malkovich dans le rôle de Lennie. Quelle impression vous laisse le film ? Auriez-vous adapté le roman de la même façon ?

Collège

Combats du XXe siècle en poésie (anthologie) (161)
Mère et fille (Correspondances de Mme de Sévigné, George Sand, Sido et Colette) (anthologie) (112)
Poèmes à apprendre par cœur (anthologie) (191)
Les récits de voyage (anthologie) (144)
La Bible (textes choisis) (49)
Fabliaux (textes choisis) (37)
Les quatre frères Aymon (208)
Schéhérazade et Aladin (192)
La Farce de Maître Pathelin (146)
Gilgamesh et Hercule (217)
Poèmes pour émouvoir (anthologie) (225)
ALAIN-FOURNIER, *Le grand Meaulnes* (174)
Jean ANOUILH, *Le Bal des voleurs* (113)
Honoré de BALZAC, *L'Élixir de longue vie* (153)
Henri BARBUSSE, *Le Feu* (91)
Joseph BÉDIER, *Le Roman de Tristan et Iseut* (178)
Lewis CARROLL, *Les Aventures d'Alice au pays des merveilles* (162)
Samuel de CHAMPLAIN, *Voyages au Canada* (198)
CHRÉTIEN DE TROYES, *Le Chevalier au Lion* (2)
CHRÉTIEN DE TROYES, *Lancelot ou le Chevalier de la Charrette* (133)
CHRÉTIEN DE TROYES, *Perceval ou Le Conte du Graal* (193)
COLETTE, *Dialogues de bêtes* (36)
Joseph CONRAD, *L'Hôte secret* (135)
Pierre CORNEILLE, *Le Cid* (13)
Charles DICKENS, *Un chant de Noël* (216)

Roland DUBILLARD, *La Leçon de piano et autres diablogues* (160)
Alexandre DUMAS, *La tulipe noire* (213)
ÉSOPE, Jean de LA FONTAINE, Jean ANOUILH, *50 Fables* (186)
Georges FEYDEAU, *Feu la mère de Madame* (188)
Gustave FLAUBERT, *Trois contes* (6)
Romain GARY, *La Promesse de l'aube* (169)
Théophile GAUTIER, *3 contes fantastiques* (214)
Jean GIONO, *L'Homme qui plantait des arbres + Écrire la nature* (anthologie) (134)
Nicolas GOGOL, *Le Nez. Le Manteau* (187)
Wilhelm et Jacob GRIMM, *Contes* (textes choisis) (72)
Ernest HEMINGWAY, *Le vieil homme et la mer* (63)
HOMÈRE, *Odyssée* (18)
Victor HUGO, *Claude Gueux* suivi de *La Chute* (15)
Victor HUGO, *Jean Valjean (Un parcours autour des Misérables)* (117)
Thierry JONQUET, *La Vie de ma mère!* (106)
Joseph KESSEL, *Le Lion* (30)
Jean de LA FONTAINE, *Fables* (34)
J. M. G. LE CLÉZIO, *Mondo et autres histoires* (67)
Gaston LEROUX, *Le Mystère de la chambre jaune* (4)
Jack LONDON, *Loup brun* (210)
Guy de MAUPASSANT, *12 contes réalistes* (42)
Guy de MAUPASSANT, *Boule de suif* (103)
MOLIÈRE, *Les Fourberies de Scapin* (3)
MOLIÈRE, *Le Médecin malgré lui* (20)
MOLIÈRE, *Trois courtes pièces* (26)

DANS LA MÊME COLLECTION

MOLIÈRE, *L'Avare* (41)

MOLIÈRE, *Les Précieuses ridicules* (163)

MOLIÈRE, *Le Sicilien ou l'Amour peintre* (203)

MOLIÈRE, *Les Femmes savantes* (223)

MOLIÈRE, *Le Malade imaginaire* (227)

Alfred de MUSSET, *Fantasio* (182)

George ORWELL, *La Ferme des animaux* (94)

OVIDE, *Les Métamorphoses* (textes choisis) (231)

Amos OZ, *Soudain dans la forêt profonde* (196)

Louis PERGAUD, *La Guerre des boutons* (65)

Charles PERRAULT, *Contes de ma Mère l'Oye* (9)

Edgar Allan POE, *6 nouvelles fantastiques* (164)

Jacques PRÉVERT, *Paroles* (29)

Jules RENARD, *Poil de Carotte* (66)

Antoine de SAINT-EXUPÉRY, *Vol de nuit* (114)

Mary SHELLEY, *Frankenstein ou le Prométhée moderne* (145)

John STEINBECK, *Des souris et des hommes* (47)

Robert Louis STEVENSON, *L'Étrange Cas du docteur Jekyll et de M. Hyde* (53)

Jean TARDIEU, *9 courtes pièces* (156)

Michel TOURNIER, *Vendredi ou La Vie sauvage* (44)

Fred UHLMAN, *L'Ami retrouvé* (50)

Jules VALLÈS, *L'Enfant* (12)

Paul VERLAINE, *Fêtes galantes* (38)

Jules VERNE, *Le Tour du monde en 80 jours* (32)

H. G. WELLS, *La Guerre des mondes* (116)

Oscar WILDE, *Le Fantôme de Canterville* (22)

Richard WRIGHT, *Black Boy* (199)
Marguerite YOURCENAR, *Comment Wang-Fô fut sauvé et autres nouvelles* (100)
Émile ZOLA, *3 nouvelles* (141)

Lycée

Série Classiques

Anthologie du théâtre français du 20e siècle (220)
Écrire sur la peinture (anthologie) (68)
Les grands manifestes littéraires (anthologie) (175)
L'intellectuel engagé (anthologie) (219)
La poésie baroque (anthologie) (14)
Le sonnet (anthologie) (46)
L'Encyclopédie (textes choisis) (142)
Honoré de BALZAC, *La Peau de chagrin* (11)
Honoré de BALZAC, *La Duchesse de Langeais* (127)
Honoré de BALZAC, *Le roman de Vautrin* (textes choisis dans *La Comédie humaine*) (183)
Honoré de BALZAC, *Le Père Goriot* (204)
Honoré de BALZAC, *La Recherche de l'absolu* (224)
René BARJAVEL, *Ravage* (95)
Charles BAUDELAIRE, *Les Fleurs du mal* (17)
BEAUMARCHAIS, *Le Mariage de Figaro* (128)
Aloysius BERTRAND, *Gaspard de la nuit* (207)
André BRETON, *Nadja* (107)
Albert CAMUS, *L'Étranger* (40)
Albert CAMUS, *La Peste* (119)
Albert CAMUS, *La Chute* (125)
Albert CAMUS, *Les Justes* (185)

DANS LA MÊME COLLECTION

Louis-Ferdinand CÉLINE, *Voyage au bout de la nuit* (60)
René CHAR, *Feuillets d'Hypnos* (99)
François-René de CHATEAUBRIAND, *Mémoires d'outre-tombe* – « livres IX à XII » (118)
Driss CHRAÏBI, *La Civilisation, ma Mère!...* (165)
Paul CLAUDEL, *L'échange* (229)
Albert COHEN, *Le Livre de ma mère* (45)
Benjamin CONSTANT, *Adolphe* (92)
Pierre CORNEILLE, *Le Menteur* (57)
Pierre CORNEILLE, *Cinna* (197)
Denis DIDEROT, *Paradoxe sur le comédien* (180)
Madame de DURAS, *Ourika* (189)
Marguerite DURAS, *Un barrage contre le Pacifique* (51)
Marguerite DURAS, *La Douleur* (212)
Paul ÉLUARD, *Capitale de la douleur* (126)
Annie ERNAUX, *La place* (61)
Georges FEYDEAU, *Un fil à la patte* (226)
Gustave FLAUBERT, *Madame Bovary* (33)
Gustave FLAUBERT, *Écrire* Madame Bovary *(Lettres, pages manuscrites, extraits)* (157)
André GIDE, *Les Faux-Monnayeurs* (120)
André GIDE, *La Symphonie pastorale* (150)
Victor HUGO, *Hernani* (152)
Victor HUGO, *Mangeront-ils ?* (190)
Victor HUGO, *Pauca meae* (209)
Eugène IONESCO, *Rhinocéros* (73)
Sébastien JAPRISOT, *Un long dimanche de fiançailles* (27)
Charles JULIET, *Lambeaux* (48)
Franz KAFKA, *Lettre au père* (184)

DANS LA MÊME COLLECTION

Eugène LABICHE, *L'Affaire de la rue de Lourcine* (98)
Jean de LA BRUYÈRE, *Les Caractères* (24)
Pierre CHODERLOS DE LACLOS, *Les Liaisons dangereuses* (5)
Madame de LAFAYETTE, *La Princesse de Clèves* (39)
Louis MALLE et Patrick MODIANO, *Lacombe Lucien* (147)
André MALRAUX, *La Condition humaine* (108)
MARIVAUX, *L'Île des Esclaves* (19)
MARIVAUX, *La Fausse Suivante* (75)
MARIVAUX, *La Dispute* (181)
Guy de MAUPASSANT, *Le Horla* (1)
Guy de MAUPASSANT, *Pierre et Jean* (43)
Guy de MAUPASSANT, *Bel-Ami* (211)
Herman MELVILLE, *Bartleby le scribe* (201)
MOLIÈRE, *L'École des femmes* (25)
MOLIÈRE, *Le Tartuffe* (35)
MOLIÈRE, *L'Impromptu de Versailles* (58)
MOLIÈRE, *Amphitryon* (101)
MOLIÈRE, *Le Misanthrope* (205)
Michel de MONTAIGNE, *Des cannibales + La peur de l'autre* (anthologie) (143)
MONTESQUIEU, *Lettres persanes* (56)
MONTESQUIEU, *Essai sur le goût* (194)
Alfred de MUSSET, *Lorenzaccio* (8)
Irène NÉMIROVSKY, *Suite française* (149)
OVIDE, *Les Métamorphoses* (55)
Blaise PASCAL, *Pensées* (Liasses II à VIII) (148)
Pierre PÉJU, *La petite Chartreuse* (76)
Daniel PENNAC, *La fée carabine* (102)

Georges PEREC, *Quel petit vélo à guidon chromé au fond de la cour ?* (215)
Luigi PIRANDELLO, *Six personnages en quête d'auteur* (71)
Francis PONGE, *Le parti pris des choses* (170)
L'abbé PRÉVOST, *Manon Lescaut* (179)
Raymond QUENEAU, *Zazie dans le métro* (62)
Raymond QUENEAU, *Exercices de style* (115)
Pascal QUIGNARD, *Tous les matins du monde* (202)
François RABELAIS, *Gargantua* (21)
Jean RACINE, *Andromaque* (10)
Jean RACINE, *Britannicus* (23)
Jean RACINE, *Phèdre* (151)
Jean RACINE, *Mithridate* (206)
Jean RACINE, *Bérénice* (228)
Raymond RADIGUET, *Le Bal du Comte d'Orgel* (230)
Rainer Maria RILKE, *Lettres à un jeune poète* (59)
Arthur RIMBAUD, *Illuminations* (193)
Edmond ROSTAND, *Cyrano de Bergerac* (70)
SAINT-SIMON, *Mémoires* (64)
Nathalie SARRAUTE, *Enfance* (28)
William SHAKESPEARE, *Hamlet* (54)
SOPHOCLE, *Antigone* (93)
STENDHAL, *La Chartreuse de Parme* (74)
STENDHAL, *Vanina Vanini et autres nouvelles* (200)
Michel TOURNIER, *Vendredi ou les limbes du Pacifique* (132)
Vincent VAN GOGH, *Lettres à Théo* (52)
VOLTAIRE, *Candide* (7)
VOLTAIRE, *L'Ingénu* (31)

Thomas HOBBES, *Léviathan* – « Chapitres 13 à 17 » (111)

David HUME, *Dialogues sur la religion naturelle* (172)

François JACOB, *Le programme* et *La structure visible*, extraits de *La logique du vivant* (176)

Emmanuel KANT, *Des principes de la raison pure pratique*, extrait de *Critique de la raison pratique* (87)

Emmanuel KANT, *Idée d'une histoire universelle au point de vue cosmopolitique* (166)

Étienne de LA BOÉTIE, *Discours de la servitude volontaire* (137)

G. W. LEIBNIZ, *Préface aux Nouveaux Essais sur l'entendement humain* (130)

Claude LÉVI-STRAUSS, *Race et histoire* (104)

Nicolas MACHIAVEL, *Le Prince* (138)

Nicolas MALEBRANCHE, *La Recherche de la vérité* – « De l'imagination, 2 et 3 » (81)

MARC AURÈLE, *Pensées* – « Livres II à IV » (121)

Karl MARX, *Feuerbach. Conception matérialiste contre conception idéaliste* (167)

Maurice MERLEAU-PONTY, *L'Œil et l'Esprit* (84)

Maurice MERLEAU-PONTY, *Le cinéma et la nouvelle psychologie* (177)

John Stuart MILL, *De la liberté de pensée et de discussion*, extrait de *De la liberté* (122)

Friedrich NIETZSCHE, *La « faute », la « mauvaise conscience » et ce qui leur ressemble (Deuxième dissertation)*, extrait de *La Généalogie de la morale* (86)

Friedrich NIETZSCHE, *Vérité et mensonge au sens extra-moral* (168)

Composition Bussière
Impression Novoprint à Barcelone
le 17 décembre 2013
Dépôt légal : décembre 2013
1er dépôt légal dans la collection : juin 2005

ISBN 978-2-07-030647-3./Imprimé en Espagne.

264353